ヤマケイ文庫

定本　日本の秘境

Okada Kisyu　岡田喜秋

Yamakei Library

定本　日本の秘境　目次

カバー・本文写真＝岡田喜秋

『日本の秘境』掲載地

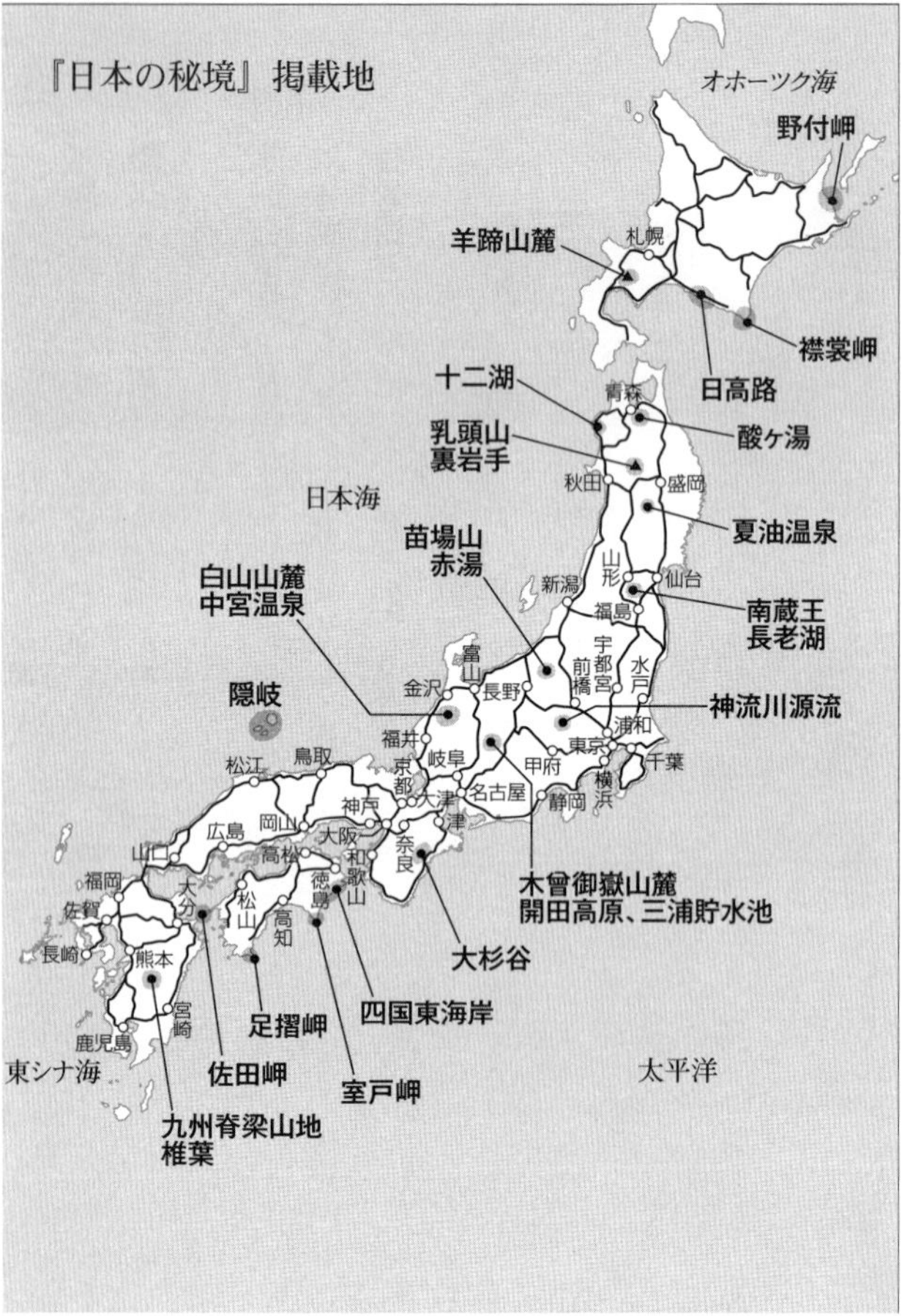
オホーツク海
野付岬
羊蹄山麓
札幌
襟裳岬
日高路
十二湖
青森
酸ケ湯
乳頭山
裏岩手
秋田
盛岡
日本海
夏油温泉
苗場山
赤湯
白山山麓
中宮温泉
山形
新潟
仙台
福島
南蔵王
長老湖
富山
宇都宮
前橋
水戸
隠岐
金沢
長野
神流川源流
浦和
福井
東京
千葉
松江
鳥取
京都
岐阜
甲府
横浜
大津
名古屋
静岡
神戸
広島
岡山
大阪
津
山口
高松
和歌山
奈良
木曾御嶽山麓
開田高原、三浦貯水池
福岡
大分
徳島
佐賀
松山
高知
長崎
熊本
大杉谷
宮崎
四国東海岸
足摺岬
鹿児島
東シナ海
佐田岬
太平洋
室戸岬
九州脊梁山地
椎葉

山

山頂の湿原美と秘湯

——赤湯から苗場山へ——

1

海抜二一四五メートル、その山は越後の南で上州と接する国ざかい近くにそびえている。苗場《なえば》という山の名は、その頂が苗を植えた水田のようにひろびろとして、小さな池が無数にちらばっているところから呼ばれたことがうなずかれる。頂はナイフでその頭の部分を真横からそいだように真っ平らで、そのひろさはざっと三キロ四方はある。雲表にそびえる水田風景という表現は誇張ではない。火山ならば熔岩が頭を出し、とてもこんなにゆたかな水に恵まれた頂にはならなかっただろう。熔岩台地という生い立ちの山ならば、美《うつくし》ヶ原のように乾いた草原を見せるのが、ふつうである。私のみるところでは、その形は東北地方の月山《がっさん》や信州の霧ヶ峰と同じで、いわゆるアスピ・コニーデであろうに、芝生を敷きつめたような頂には真夏でもあふれるばかり

赤湯にある四つの湯舟のうちの一つ、薬師ノ湯

に水を湛《たた》えた無数の池が、連続模様のようにひかっている。

この風景を眼の前にしたとき、ああ、やっとたどり着いた、と私は思った。この山の頂の姿をだいぶ前から地図の上で想い描いていたのだ。尾瀬ヶ原の湿原のように、その位置が、より高い山でとりまかれている地形ならば、上から撮影した風景をカメラに収めることができる。そんな写真を撮ってきた人からこの山の風景を見せてもらえば、たいてい、ゆかなくても山の様子は想像つくものだが、この苗場という山は、その頂そのものが湿原で、飛行機による以外は、おそらく、より高い位置からカメラに収めることは不可能であろう。つまり、私はまだ一度もこの頂の全貌を撮《うつ》した写真を見たことがなかった。「これが苗場だ!」といって、かつて、その頂の写真を見せてくれた友人があったが、それは四ツ切りの大きさに引き伸ばされてはいても、画面にはわずか一つか二つの池しか撮されていなかった。「これなら尾瀬と変わりがないじゃないか」とそのとき、私は即座に言って、その人のせっかくの好意を傷つけたことを想い出した。

結局、自分の眼で実際に見なくては我慢ができない風景のひとつが苗場山となり、永年心の中で空想していたこの山へ登ってみたのである。しかし、頂へやっとたどり着いたときの私は、急峻な登りの連続で予想以上に疲れていた。頂にひかる無数の池《ち》

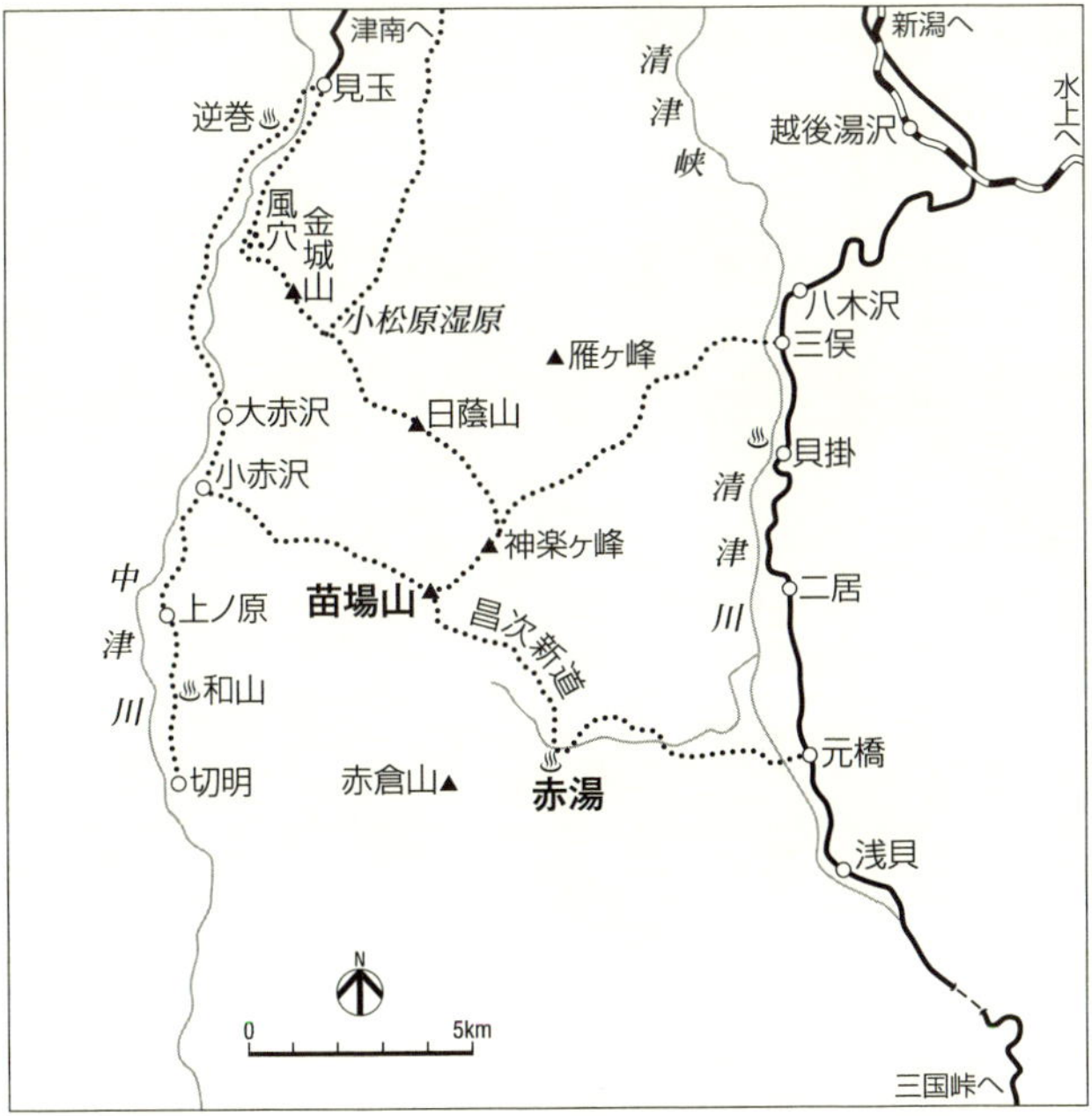

津南へ
新潟へ
水上へ
見玉
逆巻
清津峡
越後湯沢
風穴
金城山
小松原湿原
八木沢
三俣
雁ヶ峰
大赤沢
日蔭山
貝掛
小赤沢
清津川
神楽ヶ峰
中津川
苗場山
二居
上ノ原
昌次新道
和山
元橋
切明
赤倉山
赤湯
浅貝
N
0
5km
三国峠へ

塘《とう》を目にしたとき、喉の渇いていた私はこのゆたかな水に思わず目を見張った。それは水筒の水を最後の一滴まで惜《お》しむようにして、長時間大切に背負ってきたという理由だけでなしに、その瞬間、この山のふもとで聞いた水のとぼしい村の話を想い出したからだった。

私はその前夜、元橋《もとはし》という越後のもっとも奥に近い一軒家に泊まったのである。

2

越後湯沢を下車駅にきめて、ふつう苗場山へ登る道は、八木沢《やぎさわ》という清津《きよつ》川べりの集落でバスを降りて、神楽《かぐら》ヶ峰を越えて東から頂に達するのが一番楽だとされている。しかし、このコースをたどっても、ざっと丸一日はかかる。私がこの一般コースをとらずに、わざわざ迂回コースを選んだのは、その途中に、赤湯《あかゆ》という忘れられたような古めかしい温泉宿があることに心ひかれたためだったが、この道は、さらに長く、どうしても二日がかりにならざるを得なかった。それで、まず、その入口の集落に泊まって早朝から歩きはじめることにしたのである。元橋という集落はその入口にあった。

そこは越後湯沢からの三国《みくに》街道が上州境の三国峠を越える少し手前で、左右を壁のように立てた山峡の底に位置している。バスを降り立ったとき、道端に一軒しか家がないのにちょっと驚いたが、聞けば元橋というのは集落の名ではなく、昔から一軒家しかなかったということであった。おそらくこの家は、三国街道の宿場と宿場の間に建てられた休憩所的存在だったのだろう。石を屋根にのせたその廃屋のような農家の主人は親切に私を招じ入れたが、登山の目的でここへ来た人だけは快く泊めてあげたい、という好意を聞かされながら箸をとった夕食の膳の周囲は暗かった。予期に反してここには電気がなかったのだ。夏のさなかに赤々と燃えるいろりのかたわらに座っても暑さを感じないのは、ここがすでに海抜一〇〇〇メートルに近い高地であることを物語っていたが、ランプをたよりに夜食をとるひとときは、さらに都会から遠い感じの時代錯誤な旅情を感じさせた。

そして、その食膳のかたわらで、宿の主人は、突然、このすぐ下の二居《ふたい》という集落には、ごく最近まで水がまったくなく苦しんでいたことを話しだした。飲料水のないところに、人間の生活が定着するとは考えられないことだけに、私は興味深く聞いた。想像できることは、谷間の奥にちらばる村落はすべて三国街道がつくられてから、江戸へ仕向する参勤交代の大名たちのために宿場として発生したにちがいないということであったが、聞けば二居という谷間の中央に位置する宿場には、四十六戸もありながら不思議に水の湧く条件がなかったのである。想像したとおり、このあたりの村々は貧しかったのだ。

参勤交代の時代が終わり、清水トンネルができ、この三国街道がすっかり廃道と化した世となっても、この村に生まれ、永年住みついてきた人が、他地へ移住する気持ちになれなかったことは理解できる。それだけに、大正から昭和へと時代が移るに従って、人通りがまったく途絶えた山奥の集落の水不足は、村人の死活問題となったのだ。水は地上では商品価値をもたぬ天与の贈物であったはずなのに、この二居ではダンナサマと呼ばれる一部権力者だけの所有物となって、毎日の飲料水を手に入れるにも、貧しい女房族の労役奉仕や御機嫌うかがいが伴った。

飲料水が特定の金持ちの家にしか湧いていなかったとすれば、貧しい村人たちに対して、彼等が寛大な気持ちでこの生活必需品を提供しないかぎり、暗い感情問題となるのは当然である。彼等の死活を握ったような顔付きで尊大に構え、なかなか飲料水をくれようとしないダンナサマ階級を、村人は等しく憎悪してきたが、そんな対立感情がごく最近まで続いていたのである。

そうでなくても、この高冷地ともいうべき三国峠に近い三つの宿場は、浅貝《あさがい》、二居、三俣《みつまた》とも、五穀にはほとんど恵まれない不毛の生活地である。「わたしゃ、越後の三宿育ち、米のなる木をまだ知らぬ」という俚謡《りよう》は、かつて江戸へ仕向する大名たちがここへ泊まるたびに、本陣、脇本陣と呼ばれる宿屋の座敷から三味の音とともに流れたといわれる。

「三国山之義は大難場に而、当時平地幅五六尺、吹溜之場所者、壱丈四尺程も有レ之」という奉行所宛の記録が残されているが、上州越後境の雪の量は今も変わりはなく、尺をメートルといい換えてみれば、毎年三メートルは積もるのだ。越後湯沢から三国峠のあいだに発生した三宿《さんしゅく》のうち、不運にも水がまったく湧き出ないこの二居の集落では、そんな丈余の雪の積もる冬でも、女たちが一斗缶《いっとかん》の容器をもっては遠い下流まで水運びに明け暮れした。苦しさは絶していた。乾いた村は、大正のなかばごろ、ついに火事を起こし、それ以来、ますますダンナサマ連は水を独占したという。

それがやっと最近になって、世間の批判の対象となったのである。ダンナサマたちがまるで宝物のようにひとりでかかえていた水から、県衛生試験所が伝染病の細菌を発見したのである。貴重な財産を独占していたつもりの富者たちは、その日から急に反省しはじめた。と同時に、住民は町村合併という戦後の新しい行政措置の効果をよろこんだ。今までは社会保障などまったく顧りみられていなかった山奥の生活が、正当に調査の対象となって、飲料水まで問題にしてくれたことは、ひとえに、ここが四年ほど前から越後湯沢の町に編入されたからであった。そして、今、この二十年越しの村人のあがきは、近々でき上がる四つの水源によって救われようとしている。

3

こんな水にまつわるエピソードが聞けたのも、メイン・ストリートの登山路を選ばなかったお蔭である。今では登山は都会人のレクリエーションとして普及し、ことに夏では、楽な登山路は競って登られ、ひとり静かに思索にふけりながら歩くなどということは、できなくなっている。昨夜泊まった一軒家の主人は、私の姿を見たとたん、人懐かしげにぜひ泊まるように引きとめて、

「ここから赤湯へゆくのは吊橋がいくつもあって、夜になったら、生命がいくつあっても足りませんよ」

と大袈裟《おおげさ》な表現でひとり旅の私をおどかした。そう言われなくても、私は泊まらざ

るを得なかったのだ。この赤湯への山道は、実は相当山登りに経験のある人に聞いても、正確な所要時間がわからなかったのである。ある人は四時間もあれば行けるといい、ある人は絶対に六時間はかかるといい、それでは、歩いたことがあるのかと聞くと、そうではなかった。だいたい、この道は、登るにはつらすぎるので、今まで一般に、苗場山からの下りに利用されてきたのである。頂上の小屋には前日五十人も泊まっていたという話であったが、私と同じ道をたどって登るという人はこの日もいなかった。それでも、ダム工事が清津川の源流に着々と行なわれているので、二時間ほどのあいだは、そんな風景を見ていれば少しも退屈はしなかったが、三時間ほど歩いたころには、道は細々として、原生林に包まれたまま、はげしい登り下りを繰り返しはじめた。

清津川の川床の音を聞きながら、右岸をかなり登ったかと思うと、道はふたたび下って、せっかく登った高さを元に戻す。そして、吊橋を渡って今度は左岸へかかると、また道は三〇〇メートルにちかい高さを登らせて、汗まみれの苦労を繰り返させるが、ふたたび、川床に下り、登っただけの高さをマイナスにする。こうした無駄な努力が五時間以上もつづいたとき、やはり、赤湯へゆくには、六時間かかることが嘘ではなさそうだと思いはじめていた。

地図を見ればわずか二里ほどにしか見えない距離が六時間ちかくかかることは山ではあり得ることだが、さすがの私も地図の不正確さを非難する気持ちになっていた。自分ではもっと登った、と思っているが、実際にはそうでないのか、そういう疑問はつねに主観的なもので、疲労度を数字にあらわしてみないかぎり、つねに地図自体を責めなければならなくなる。地図が示す地形のあやまりか、それとも、人間の側がもつ、判断の不正確さか、このばかばかしい問答の繰り返しが、私の脚の速度を極度ににぶらせた。

事実を報告するなら、やはり、赤湯の宿を屏風《びょうぶ》のように切り立った峡谷の行く手に見出したのは、六時間の後である。考えてみれば、この地点は海抜約一〇五〇メートルで、それならば今朝出発した元橋からは、わずかに一〇〇メートル足らずしか登っていないことになる。

川床を伝わって歩けばおそらくこの半分の時間で到着したであろうに、と思う気持ちは当然起こっていたが、そう考えることは、この道を拓いた先覚者に対する冒瀆《ぼうとく》であったろう。地図を見ればわかるようにこの谷間の水はゆたかすぎ、しかも両岸は直立に立った壁で、川に沿う道はつけられなかったにちがいない。

登山路がどんなにけわしくても、その道を拓いたパイオニアの苦労を責めてはいけないだろう。山登りというものは所詮、無償の行為である。山道を拓いた者の知恵を批判することは、自分自身の非力を責めるに等しいことをこの際反省すべきであった。

4

赤湯は清津川の源流が三つの沢となって分かれる谷底に湧いている。右岸に石置屋根が二つあり、ひとつが母屋で背後の小高いところに建つのが湯治客用の離れである。温泉といっても川原の一隅《いちぐう》から湧いているだけで、内湯はない。冷水が混らないように湯の湧くところが囲ってあって、そこに入っても、身体は人目からかくれない。そこが天狗湯と名づけてある。裸体がかくれないのを嫌う女の客は宿から少し下りたところにある屋根のついた湯に入る。ここにひたっても、身体はあらい格子の囲いからよく見える。そこが薬師ノ湯。このほか、川岸から玉子湯、青湯、黄金湯の三つが湧いているが、青湯が一番あつい。

三面が壁のようにせまっているこの地形では、雪解けのころの雪崩《なだれ》のひどさは想像を絶し、内湯をつくっても、たちまち壊されてしまうのだそうである。たとえ雪崩をさけることができても、ひとたび台風が襲えば、冷たい激流に埋まってしまって湧出口すらわからなくなるからである。幸い、湯は熱く、最高の青湯が五七度もあるから、雪はその部分には吹きたまらず、冬はちょうど適温の野天風呂となるそうである。

宿に住む山口さんは冬になると、吊橋が雪の重みで落下してしまわないように取りはずしにゆく。冬になると、こうして赤湯は完全に孤立した山中の一軒家となるわけである。若い山口さん夫妻はランプのともる煤《すす》けた天井のもとで、雪に埋もれた永い冬を過ごす。春といっても、ここでは丈余の雪の解ける六月にならなければ木々はみどりにならない。イワナこそ一年中獲れるが、秋はキノコを採りつくすと、春のコゴメと称する若菜が青くなるまで、新鮮な食物を口にすることはできない。

夏の盛りならば、五十人以上も泊まってくれる日があっても、秋も深まるとほとんど人は来なくなる。毎日の時間をもてあましたような、それでいて、野天風呂にひたれば見上げる山肌が紅葉で美しい秋の終わりごろになると、若い夫妻はときどき手拭いに字を書いて遊ぶたのしみにふけることがある。

「マタ、フユガクル」

と、お茶をひたした筆で、手拭いに文字を書いて、その手拭いを温泉へひたすと、湯から上がるころには、その文字が見事に染め抜かれている。赤湯が濃い鉄分を含んだ湯であることを利用した単純な遊びなのだが、これも倦怠《けんたい》の果てに考えだしたたのしい発明であったろう。私もそれを真似て、汗まみれになった手拭いをとり出して、

そこに、

「昌次新道《まさつぎしんどう》」

と書いた。昌次新道とは、明日私が登る苗場山への道だ。昌次とはこの山口さんの親爺の名である。今から十五年前、それまでは湯治客ばかりしか来なかったのに、登山者が泊まりはじめたので、自ら登山者のためを思って切り拓いた道である。登り五時間といわれ、右に棒《ぼう》沢を見下し、左に熊ノ沢の水音を聞きながら、一歩一歩頂へ近づく尾根道である。この道ができないころは、赤湯から苗場山へ登るのに赤倉山という山を迂回していた。昌次新道のお蔭でどれほど時間が短縮されたことか。そんな新道が拓かれていることを、ここへ来るまで知らなかったが、考えてみれば、どうして五万分の一の最新地図もこうした重要な道を記入していないのだろう。

パイオニアというものはいつでも、こうした形で葬り去られるのだろうか。これが日本アルプスの山中ならば、すぐに地図は新しいコースとして記入してくれただろう。こんな僻地の山だったから認識されなかったのかもしれない。

それにしても、私は、つつましく道を拓き、以後数多くの登山者がその恩恵に浴し

ながら、しかもいまだにそれを披露しようとしない昌次さんという人の心根を想って、ふたたび、「無償の行為」ということに想い至っていた。

その昌次さんは息子にこの宿の経営を譲って、今は生まれ故郷の塩沢で平和な余生を送っているという。そう聞いたとき、塩沢といえば『北越雪譜《ほくえつせっぷ》』を書いた鈴木牧之《ぼくし》の生地だったことを想い出し、『北越雪譜』が書かれたころに、もし昌次さんが生まれていたとすれば、おそらく著者はこのかくれた開拓者《パイオニア》の行為を記録に残しておいてくれたであろうに、と同情した。

改めて、ランプの下でひらく岩波文庫版の『北越雪譜』のなかで、私は「苗場山」の描写を読んだ。そこには徳川の末期、まだ登山などという言葉のない時代に、自らの脚で登ってとらえた印象が詳細に書きしるされている。風景のことばかりではない。人事に関することにもこの著者はかなり筆を費しているのに、そのなかに赤湯の地名はない。もっとも赤湯は明治以降にひらかれたのだから、仕方ないにせよ、鈴木牧之もいわゆるメイン・ストリートを登ったのだ。

しかし、この新しい登山路を拓いた山口昌次のことを、改めて記録する昭和の『北越雪譜』の執筆者がいてもいい、と思いながら川原の野天風呂につかると、自然と、明日登る昌次新道の様子が頭に浮かんだ。

5

苗場山頂の一夜は肉体の疲労が消えないままに、早々と目が覚めた。小屋は海抜二一四五メートルの三角点の近くにあり、夏とは思えぬ寒さが粗末な山小屋の中に漂っていた。上下二段のベッドといえば聞こえはいいが、敗戦後の罹災民の雑居生活のような感じで、五十人も泊まったその夜は蒲団《ふとん》の数が不足した。仕方なく、冬用のジャケツを着込み、水筒を枕代わりにして、ゴザ一枚を敷いた板の間に横になった。

翌朝、快晴を期待して戸外へとび出した私の視界には、一里四方にひろがる雲上の湿原があったが、大空からは肌寒い霧雨が降っていた。はっきりと見える風景はせいぜい視界一〇〇メートル、雲を抜いてそびえるこの巨大な飛行場のような地形美が、晴れた日ならばどれほど美しく雄大なものであるかを教えてくれるのは、持参した『北越雪譜』中の描写しかなかった。

「さて眺望《みわた》せば越後はさらなり、浅間《あさま》の烟《けむり》をはじめ、信濃《しなの》の連山みな眼下に波濤《はとう》す。千隈《ちくま》川は白き糸ひき、佐渡は青き盆石をおく。ここに眼を拭いて扶桑《ふそう》第一の富士を視いだせり」

などと書いてあるが、私の前には灰色におおわれた霧しかない。脚下の池塘にワタスゲが白く揺れ、そのかたわらにコバイケイソウが背を伸ばしていることははっきりわかるが、頂が地平線となって落ちるあたりは等しく乳白色の霧に包まれていた。

その大空の色彩はやがて、神楽ヶ峰から、目指す逆巻《さかさまき》温泉への下りにかかるころ、さらに濃くなり、厚い層雲が頭上をおおいはじめ、ほとんど人の歩いた形跡のない道は、前夜の不眠で疲れた肉体を一層悩ましはじめた。

予想したとおり、この神楽ヶ峰から逆巻へ通ずる山道は、最近人の歩いた形跡がない。しかしこのコースが私の今度の山旅のなかでもっとも魅力を感じていた未踏路なのだから、なんとしても進まねばならぬ。未踏路といっても、だいぶ以前に切り拓かれた形跡はある。そして、この道が最初は地図に示されたように、尾根を忠実に伝わるが、やがて美しい湿原地帯に入ると聞いていたのである。そこは苗場山頂とはまた違った、いってみれば尾瀬ヶ原を昔日に返したような人っ気のない原始の湿原だと聞かされていた。つまり、小松原湿原と呼んでいる秘められた処女地のような風景が見たかったのだ。

しかし、神楽ヶ峰のピークから、メイン・ストリートをはずれて一歩北へ向かう道へ入ったとたん、踏跡は定かでなくなり、旺盛に生え茂った笹は細々とした赤土の道をすっかりおおいかくしはじめ、降りだした雨の滴がズボンを濡らした。笹を分けて

苗場山頂の池塘で憩う登山者

脚下の大地を見ると、ひどくぬかるんでいる。そのうえ、登り下りの繰り返しはひどく、一時間経っても、二キロと進んでいなかった。道は山の肩を上下しながら休みなく肉体を疲れさせたが、やがて瘤《こぶ》のような峰をいくつも越えさせて、日蔭山に登り着いたころには正午を過ぎていた。私の予測は完全に狂っていた。地図に描かれた道が、かならずしも歩きよいとは限らないことは知っていたが、この道は地図から抹消しても、なぜあの昌次新道を書き入れなかったのか、そんなうらみ言めいた気持ちを自分に言って聞かせたものの、行く手に湿原はなかなか現われなかった。

無人の降雨測定所の建物を目指すヒュッテと見間違えたのもそのころである。そこにはセピア色をした頑丈な小屋が建っていたが、雨にうたれ寒さに耐えかねていた私はあせっていたのだ。はげしい雨をさけるために夢中で歩いていた私の前に本当のヒュッテが現われたのは午後二時に近いころである。なんと、苗場の頂上から六時間以上もかかっていた。

ヒュッテは湿原の一隅に人待顔に建っていた。そこでシャツをぬぎ、火を燃やして、身体を暖めざるを得なかった。雨は少しも弱まらず、誰もいない炉端で燃え上がる炎だけが生気に充ちているのが、憎らしかった。

このヒュッテの前が、上《かみ》ノ城《しろ》（上ノ代）湿原である。これが久しく見たいと思っていた湿原であったはずだが、来てみればなんの感慨もなかった。湿原を散歩する気にもなれず、雨のやまないままに夕暮がせまってくるのではないか、と思われた。この小松原の湿原が終わるあたりで、道は二つに分かれ、一方は真北へ向かって飯山線の越後田沢の駅へ下りるように地図は示している。左を選べば、自然に金城山《きんじょうさん》という山に登り、それがふたたび急な下りとなって風穴《ふうけつ》のある中津川の谷間へ出ると聞かされたが、この西北へ向かう山道が、地図に示されていないことが、不安を誘った。「間違う可能性があるから注意しなさい」といわれた頂上での忠告が気になりはじめたころ、湿原のなかに、「逆巻温泉」と書かれた指導標を見出した。そこも雨に烟った小広い平地であった。そこで道は不明瞭に分かれ、指導標だけが行き先を信じさせた。

これで、もう道のつづくままおとなしく従えばよい、と思ったとき、はじめて少しばかり落ち着いた気持ちになり、小松原湿原を改めてふりかえった。

そこは海抜一五〇〇メートルの高さで山の中腹に生じためずらしい湿原風景にちがいなかった。そして、こうした湿原には「上ノ城」「中ノ城」「下ノ城」と書いた標札が立っていた。

かつて、この山中深い庭園のような平地に「城」がつくられていたといわれる。

「城」はこのあたりでは、「屋敷」とも呼ばれ、ちょっと見ては信じがたいにせよ、要害の地と見てとった平家の落武者がここに城を築いたという話を、ふもとの村人は今も信じているらしく、そんな昔の城跡を見たい、とわざわざこの湿原まで来て、それらしき石の堆積を発見してよろこんだとたんに迷いはじめて一夜さまよって野宿した人の話を聞いた。

それは逆巻温泉の若い山好きの主人であった。

逆巻の宿の主人はそんな経験談を語るのが好きで、若いのに似合わず、平家の落人《おちゅうど》集落といわれるこの谷間の生活を嫌っていないようであった。宿は中津川の深い谷を見下ろす山の中腹にあって、眼下に激流が逆巻いて流れているところから、宿の名が出たと語ったが、そんな故事を語るのが如何にもたのしそうで、疲れた身体をひきずってやっとたどり着いた私に、盛りだくさんの話を聞かせた。

聞けば、今日私の下ってきた山道は、登りならば、とても一日では歩けないだろう、という話であった。たしかに、この逆巻から小松原湿原へ登ろうとするなら、金城山の急坂で相当に疲れるだろう。湿原を長いあいだ歩いたあとで、登山靴が完全に水びたしになっていて、ひどく重かったことが想い出された。

やはり、この温泉へ来るには、飯山線の越後外丸《とまる》から平坦な道を伝わってくるのが

当時の逆巻温泉

順路である。

この谷間が平家の落人集落として純粋な存在だというので、かつて吉川英治さんがわざわざ訪れたという。しかし、『越後雪譜』を著わした鈴木牧之は、この谷間だけをとくにとりあげて『秋山記行』という一巻を書いている。さぐれば興味深い山の生活が限りなく今なおひそんでいるにちがいない。

それは改めてまた調べにこよう。今度の旅はこれで終わりである。逆巻から見玉まで一里の道を歩けば、久しぶりに乗るバスが私を待っている。

取材：一九五五（昭和三〇）年

九州脊梁山地を横断する

——人吉から椎葉へ——

1

九州の地図を眺めて、以前から一度ゆっくり訪ねて、自分の眼で見たいと思っていたのは、九州脊梁《せきりょう》山地のなかにひそむ山村生活であった。それも高千穂《たかちほ》や霧島ではなく、もっと人目につかぬ五家荘《ごかのしょう》のあたりであった。高千穂や霧島はどうも戦後何年か経ったころから、復古調の波にうまく便乗して、妙に神話や建国伝説をダシにつかって観光宣伝をしはじめた感がある。高千穂では真名井《まない》ノ滝が見せ物化し、霧島へ行ってみても、けっして神話的ではなかった。火山の群が赤肌を見せてその真ん中にぽっかりとその火口をあけている姿は、一見地球誕生当時の風景を想わせてはくれたが、大浪池《おおなみ》のほとりには人工のベンチがあって、そのかたわらにキャラメルやフィルムの空き箱が落ちていて夢がなかった。

観光客むきのパンフレットなどには出ていない、もっとかくれた生活が見たかった。観光パンフレットには、まったくやり切れないほど美辞麗句が並べてあって、そこにそびえる山は、かならず「秀峰」で、「風光明媚《ふうこうめいび》」で、「山紫水明《さんしすいめい》」で、温泉があれば「俗塵《ぞくじん》を忘れさせる」といった礼賛《らいさん》的形容詞で終始している。

人吉《ひとよし》という町に降り立って一夜を過ごした宿でも、さっそく私は美辞麗句を並べたてたパンフレットを手にした。が、すでにここに着く前に、今度の旅でのストーリーを、心の中で組み立ててみていた。人吉の奥の山深い山村が、五木《いつき》の子守唄の発生地として知られたのはダム・ブームが起こった直後のことだ。それは九州脊梁山地の奥深く、この人吉から山峡を分けて行った地であり、そこから県境を越えると、椎葉《しいば》の村へ通ずるのだ。椎葉といえば、日本一のアーチ・ダムという存在で一躍、名を売り、その副産物として、今まで誰も知らなかった「稗搗節《ひえつきぶし》」という民謡が全国の人に知られ、それは民謡ブームのさきがけとなったともいえる。ダムという存在で急に脚光を浴びた二つの村、いってみれば、私は「人吉から椎葉へ」というコースを頭の中に描き、リュックをかついで、そのダム・ブームも終わった山村の現在をこの眼で見たい、と思ったのである。

しかし、想像したのとはちがって、五木の奥は、昔のままに静まりかえっていた。

葉木
仁田尾
椎原
縦木
五家荘
久連子
椎葉
尾前
上椎葉
日向へ
宮崎
九州脊梁山地
五木
宮園
頭地
熊本
小崎
新橋
平畑
古屋敷
白水滝
湯山峠
大河内
市房山
幸野
湯山
四浦
上米良
横谷峠
湯ノ前
須恵
深田
免田
八代へ
人吉
湯前線
村所
西都へ
0
10km
白髪岳

ダムができたのは宮崎県側の椎葉であり、五木の奥、五家荘と呼ばれる平家の落人《おちゅうど》集落一帯は少しもダム・ブームの余波を浴びてはいないことがわかった。第一、バスは宮園までしか行きませんよ、と人吉の観光課長は言った。宮園は五木の奥だが、五家荘を訪ねるにはそこから丸一日以上山を歩かねばならない。人吉の人でさえほとんどこの高地集落へ入ることはないと聞かされた。

平家の落人集落といえば、昨今は、ダムの建設にともなって、たいていバスが通うようになり、東北の三面《みおもて》にせよ、越中の五箇山《ごかやま》にしろ、飛騨の白川《しらかわ》村にしろ、すべてもう白日の太陽のもとにさらされた形で、行ってみれば独特な造りをみせる民家は物見高い観光客のための見世物化し、「無形文化財」と称して昔から伝わる素朴な手振りの踊りもアトラクション化して、いつでも見せる時代となった。

だから、あまり期待はしていなかったのだが、この五家荘はちょっと様子がちがっていた。バスの四通八達する今日なのに、五家荘には谷底を縫う細々とした山道しかなかった。人吉からざっと十里、この村の人々はいまだに世をそねんでいるかのように思われた。頭地《とうじ》にある五木村役場の吏員は、ジャーナリズムが、かれらを「時代にとり残された僻地の民」と書きたてることに対して、不満の意を表明した。五家荘へ行くといえば、「またか」と、五木の役場の人は思うのだろう。どうせ書かれるべき結論はきまっているのだ。五木の子守唄のふるさと、とか、現代からとり残された平家の落人集落、といった題をつけて都会人の好奇心を満足させるのが目的なんでしょう、と言いたげであった。五家荘とは、その昔、平家の落人が世からのがれて住みついた熊本県の最奥の山村、その名のごとく、五箇の村からなり、その名は、葉木《はぎ》、仁田尾《にたお》、樅木《もみき》、椎原《しいばる》、久連子《くれご》である、と書きはじめて、「五木の子守唄」の哀調こめた歌詞を挿入して、今なお、焼畑を耕して生きる貧しい山村生活——と綴《つづ》れば、まさに一篇の秘境物語はでき上がったにちがいない。

おどまぼんぎり　ぼんぎり
ぼんから先ゃ　おらんと

というこの歌の方言などよくわかりもしないくせに、曲だけはいかにも哀愁にみちているためか、なんとなく背中の子供までがあわれに思えてくるといった山村物語に、人は不当な想像をたくましくして、結果としてはつねに村人の気持ちを憤らせてきたようである。

人吉市の観光課長は言った。五木の子守唄の起源について、といった話を何度させられたかしれませんよ。そのたびに、村人には悪いが、適当にかなしい物語を創作するんですよ、と。それは住んでいる村人だって、わかりっこないのに、まったく地元の観光課長という立場はつらいもんです、と言って笑った。

私はそんな人吉という秘境の入口の街に興味を感じた。まずこの町から旅をスタートしよう、と。そして、一日、この町を歩いた。

2

人吉は「ひとよし、仲よし、心よし、わかれともない水の音」などとしゃれて人情の良さを売りものにしているが、温泉の湧く「市」としての方が魅力がある。

東西南北すべて山でかこまれていて、八代《やつしろ》から入る肥薩《ひさつ》線がなかったら、まさに出口をふさがれた隔絶の地といえそうな盆地の一隅《いちぐう》にある。球磨《くま》川は、この町のところで、急に川幅を太らせていて、小さな町なのに、大きな橋が二つも架かっている。その橋畔に立ち並ぶ旅館の一室から窓外を眺めると、この町が「水郷」だと自慢している気持ちが理解できるが、この程度の水郷都市なら、北九州の日田《ひた》や四国の大洲《おおず》の方がやはり少し町が大きい点ですぐれていそうだ。

有名な浄瑠璃の伊賀越の文句に、「落ち行く先は九州相良《さがら》」とあるのが、この人吉のことだというが、そんな故事来歴に今の若い人は興味がなかろう。それより自慢していいのは、やはりこの町に温泉が湧いていることだろう。前夜、雲仙の白濁した硫黄泉につかった私には、この人吉の湯ざわりの快さには気分を一新した。無色透明で、石鹸もよく溶ける気持ちのよい湯である。

全国には風光明媚な地方都市がいくつかあるが、たいていそれらの町はいわゆる「観光収入」だけでは食えず、およそ正反対な存在である――自衛隊などを誘致して町の財政維持に苦労している例が多いが、この人吉という町は、今なお「観光」という表看板だけは下ろしたくないらしく、「球磨川下りと温泉郷」のキャッチ・フレーズをしっかりと抱きつづけようとしている。

ダムという「コンクリート文化」と「観光」とのたたかいはこの町の場合、とくに市民の大関心事であった。市民が「コンクリート文化」と呼ぶ建設は地元の生活を犠牲にするだけで、少しも実益がない、と訴えていた。その第一の現象は、ダムによって電力の恩恵をこうむるのは都会の人々ばかりであって、地元はいまだに一週間に一日停電している、という切実な声となって現われていた。

電気や電力というと、いかにも無形の文化的資源のように聞こえるが、昨今の電源開発は、地元の生活を犠牲にして、電力会社が電力という「商品」を売っている面がないとはいえない。

少し前から球磨川の上流に市房《いちぶさ》ダムというのがコンクリート・ミキサーとドリルジャンボーの音を高ならせながら日夜着々とつくられはじめている。このダムだけはまあつくらせるとして、もうこれ以上は御免を蒙《こうむ》りたい。というのも、この人吉の歴史をみればわかるように、かつてここは洪水と水不足で永いあいだ悩んでいたのだ。今でこそ人吉盆地にゆたかな実りをみせる水田地帯がひろがっているものの、過去の史上では、元禄のころつくられた「幸野溝」の工事は特筆すべき難工事として今なお盆地の人々の記憶から去ってはいないのである。

幸野溝と、百太郎溝《ひゃくたろうみぞ》の二つは、いってみれば、当時の灌漑用水路として今日のダム工事に代わる地元民の労働の結晶である。

高橋政重という当時のパイオニアともいうべき工事企業者の名は今なお地図の上にはっきりと残っている。五万分の一「人吉」の図上に、百太郎溝と幸野溝は二本の線となって水田地帯を横切っている。百太郎という男が人柱となって工事はやっと完成したといわれ、幸野溝の方は、高橋政重の涙ぐましい努力の結果、一一七四町歩の水田を生み出したとされている。

見れば、それは幅こそ五間ほどだが、関門は三尺角で六間もある巨大な石材が横たわっている。最初つくりあげた四里の水路には予期に反して水が流れず一喜一憂するうちに、元禄十四年の大雨となって、完成しかけたこの水路が一夜にして流失したといわれている。それにもめげず、今度は村民の家々を個別訪問して資金を集め、ふたたび工事に取り掛かって、四年目にやっとでき上がったというエピソードのある灌漑用水。

人吉の場合、この溝の必要性は洪水を防ぐことと、水田開発という二つの目的があったのだろう。そうした過去の対策が今や市房ダムのような形で再挙されようとしている。しかし、それだけに、この盆地に住む人々にしてみれば、地元が犠牲となって、他県の人々だけが恩恵を受ける電力開発には、素直によろこべないものがあるのだろう。

その気持ちは充分わかるにせよ、盆地に住む人々はあくまで球磨川下りだけは昔のままの観光資源にしたい、といって、神ノ瀬ダムの建設には反対を示した。

人吉の市民の唯一の食糧源ともいえる淡水魚、とくに鮎《あゆ》の減少は直接市民の経済にひびいてくるのである。鮎は温泉旅館の食膳にのせられる、この町自慢の味覚というだけでなく、だいたいこの盆地の人々が蛋白供給源として海水魚を拒絶しても食卓にのせてきた大切な食品のひとつだというのだ。

ダム建設に反対する理由は、単なる郷土愛惜《あいせき》の気持ちからだけではないといい、現にダムで水が堰《せ》き止められてからというもの、鮎は高値を呼び、有明海で獲れる海水魚が入りこみ、海の魚類の値段は百匁あたり五円も高くなったのが事実だと指摘する。

すでに球磨川の中流にでき上がった荒瀬《あらせ》ダムは、観光客に対して伝統的な川下りの魅力を減退させた。ダムか、観光か、の二者択一の気持ちは人吉の場合、深刻な財政問題になっているのだ。だから、荒瀬ダムについで神ノ瀬ダムをつくらせてほしいという電力会社の要望に対して、まず反対の意を表明したのは、人吉の市長自身だったという。

観光客がほしいのだ。その証拠に、門司からこの町までの直通列車を乗り入れさせることには異常な熱意を示した。このためには四千七百万円が必要だということだったが、しかし一日一本のディーゼル車の乗り入れによって、少しでも球磨川下りの人気上昇と温泉客の増加が可能なら、市としては三千万円は出してもいい、残り一千万円は市民にわりあてて醵金《きょきん》することにして、四千七百万円の水あげが観光収入だけでできるかどうか、日夜議論したのである。

日本の地方都市にありがちな財政上の苦労噺《ばなし》だといってしまえばそれまでだが、この町は同じ九州でも、別府のような姿にしたくはないという気持ちがある。明治以来あまり変わらぬ静かな水郷都市、そのままであることを逆に宣伝文句に使いたいのだという。

一見、静かな水郷の町もその心の底にはこんな苦悩を秘めていた。それはなにも人吉にかぎらず、ダムにともなう経済生活の変化という現象に還元してみれば他の山村でも多かれ少なかれ起こっていたはずである。人吉の町を見たあと、当然私の気持ちは、市房ダムを見、さらに、県境の峠を越えて、椎葉のダムに接してみたくなっていた。そこでダムは村人にどんな結果をもたらしたか、地元民の声は幸福をかんじさせるものか、あるいはその逆か。

翌日私は人吉盆地の最奥の村、古屋敷《ふるやしき》で一夜を明かすことになった。

3

「古屋敷」、その名が暗示させるように、ここは五家荘と同じ山つづきの平家の落人集落のひとつといわれている。

古屋敷という名はこのあたりにいくつかある。五家荘にちらばるわずかな家々の名を調べてみると菅家の後裔だと称する「蔵座」の姓と、平家の子孫と自負する「緒方」の姓が多いが、それらがいわゆる木地の里だと実証させるものはまったくない。木地挽《きじびき》の集落だと称せられるものは、東北でも関西でも「小椋《おぐら》」姓を名乗っているが、ここにはそれは見当たらない。考えてみると、平家の落人伝説というものはあまり各地にありすぎて、戦後都会人がことの外興味をもち、事実そうではない山村にまでまことしやかな解説をつけて勝手に満足したがる傾向があると、昨日会った人吉の高校の一教師も言った。日本人はどうも、白か黒かいずれかに物事を決めたがる、五家荘も平家の落人集落だと断定できる材料はまったく残っていないのに、と歴史を専攻したこの教師は自分の郷土を案外批判的にみていた。

五家荘のひとつ、久連子の一民家に平盛家の由来書と称する文書があるというが、仁田尾の蔵座家にも、別の由来書があって、それぞれ自分の家が正当な平家の末裔だと称しているのはおかしいというのである。

彼の見解によれば、平家の落人だと自称するのも山奥に逃げこんだ人々の敗北感や劣等感の反転現象で、人々から僻村《へきそん》といわれてきたのが永いあいだに一種の劣等感を生み、その結果が逆に、われこそは平家の末孫なんだ、という強がりとなって現われたんでしょうと言って笑った。

五家荘の村も昔はいわゆる「旦那」の家だけが玄関のついた家をつくることがゆるされていたが、今では新興成金もいる。時代とともに生活が変わるのはあたりまえである。そんな人たちはわざわざ人吉まで来て温泉旅館に泊まって、鯛や卵の盛られた高価な料理を注文して悦に入るのだそうだ。

地方の旅館が等しく風土料理よりも焼海苔《やきのり》に卵焼といった月並みな料理を食膳に出す習慣があるのも、考えてみればそこに泊まる客のほとんどが近隣の地元民である以上、致し方のないところなのだろう。私が泊まったこの九州脊梁山地の山ふところともいうべき古屋敷の粗末な旅館でも、やはり卵焼と焼海苔とハムが出された。そして、出された宿帳をめくってみると、この三年間、東京から来たお客はまったくひとりも見当たらなかった。

聞けば、この古屋敷から椎葉へ越す峠道は、あのダム建設中のころでさえ、人影が見られなかったのである。私も、どうせそんな山道であろうと思っていた。

私の旅の道程には、最初に幸野溝と市房ダムの物語があり、その最後に椎葉というダムの村があり、その中間にそれをつなぐ淋《さび》しい峠道があればそれでよかった。あとは、もっとも近い道をえらんで、五家荘から椎葉へ越えることができればよいのだ。だから、人吉の人もほとんど歩くことのないというひとつの峠道をえらんだのだ。五万分の一の地図「椎葉村《そん》」の一枚を何度かひろげて最短の道を見出そうとすると、結局、この古屋敷という人吉盆地最後の集落から小崎《こざき》峠という忘れられたような峠道を越えてゆくのが最短のようであった。

古屋敷を出ると、すぐ白水《しらみず》ノ滝が見えた。この滝の名は米のとぎ汁が滝の上に流れていたというところからつけられたものらしい。こんな滝の上にも人家があったのか、といぶかった村人が、さぐってみると、はたしてそこに古い家が一軒あった。米のとぎ汁はそこから流れてきたのだ。そこで古屋敷という名が生まれたのだと、宿の息子は年に似合わず伝説をもっともらしく語った。この峠へ一歩近づくと、そこに「平谷」とか「平畑《たいらこば》」といった「平」のつく名の山村があって、なにか平家の名残《なごり》を思わせる旅情はたしかにあった。

単純な寄棟造りの農家の周辺はまるで無人の静けさで、出会う人とてなかった。小崎峠への道は最後の平畑の集落を背後に見送ると、急に細くなり、傾斜をみせ、さすがに行く手の峠が九州脊梁山地の中央部であることを、はっきり感じさせた。

重いリュックが肩に喰い込んだが、幸い頂上の大空は蒼一色に晴れていて、午前九時の太陽は九州らしい輝きをみせて、冬とは思えぬ明るさであった。しかし、靴の下では一〇センチにちかい霜柱がサクサクと鳴って、靴跡のない山路に一向に人影は現われなかった。

峠には五家荘から椎葉へとわたる冷たい風が吹いていた。そこへ立ったとき、はじめてこのあたりが「熊襲《くまそ》」のくにと呼ばれた昔のことが想像できた。このあたりに「熊襲」と呼ぶ種族が住んでいたことは、『日本書紀』や『肥後風土記』『古事記伝』にまで書かれていることだ。ただ、その名の解釈はいろいろあって「熊」とは「山の隈」を意味し、「襲」とは「山の背」をさすといわれ、動物の熊とは無縁だというのが定説とされている。事実、この付近の山々には熊はいない。猪《いのしし》はいる。少し前まで、四本の足をしばって棒にかけた猪を二人の男が背負っては人吉の町まで売りにきたものだという。今は人影も獣の影もなく、ただ小崎峠には冷たい風が吹いていた。

これでいよいよ椎葉の村へ下るのだ。すでに私の身体は宮崎県に入っていた。細い溝のような山路を下ると、椎葉の奥の村へ出た。

地図にある小崎峠から小崎の村へ下る道は、人吉の人が言ったのとはちがって今では廃道となっていた。私の歩くべき道は古屋敷の宿の人が言ったように、自然に川ノ口という集落へ下っていた。

ダムが近くにでき上がっていながら、このあたりには少しの変化もみられない。かえって熊襲のいた時代に一歩戻っているといった感じさえした。

川ノ口集落にしても、その少し下の小崎の村にしてもほとんどダムの恩恵は受けていなかった。

椎葉湖となって新しく生まれ出た山間の大湖はこの下の新橋という集落の近くまで水を湛えていたが、そのほとりに建つ農家の屋内は暗かった。聞けばここでも電力は地元の人々の生活をうるおしてはいなかった。「ぜんざいあります」と書かれた一軒の農家へ立ち寄ると、中は暗く、青年時代は東京の区会議員として活躍したという老人がいて、一席、椎葉批判をやった。

「椎葉では相変わらず血族結婚ばかりですよ。わたしなんかヨソモノでね。この村の人は他国者のことをウマのホネとまでいうんだからね」

ダムをつくらせられて一躍立派になったのは村役場の建物と中学校の寮だけである。椎葉の村へ来てはっきりと知らされたのは、文明到来の悲劇であった。昭和三〇年ごろのダム景気は今やない。ダムは日本一の巨大さを誇って、一一〇メートルという高さの灰色の壁を立てて蒼い大湖をふさいでいたが、ダムができ上がって一年も経ってみると、もう観光客の足もばったりと途絶えたようだ。

小崎峠のふもと新橋集落の風景

残ったものはお客の来ない旅館の群れと、超近代的な円型の学生寮と、そして指定文化財の看板を立てた「鶴富屋敷《つるとみやしき》」である。日本一のアーチ・ダムでも、日豊線《にっぽう》の富高《とみたか》からバスで約四時間半、殺風景なこの灰色のダムだけを見にこようというにはあまりにも遠すぎる。ダムのお蔭でバスがひんぱんに通い、固定資産税のお蔭で日本一(?)裕福だといわれるこの村だが、はたしてダムは村人の生活に幸福をもたらしたか。

東京にも見られない豪華さをほこる円型の中学校寮に生活する生徒たちの父兄は、一週間に千円の小遣いがほしいといわれて、乏しい私経済を前にしてなげいている。ここでもコンクリート文化の置土産は「幸福」とは反対のものだったのではなかろうか。それは椎葉だけではあるまい。出力九万キロワットと豪語するダムのかたわらでは、村営の暗い電灯で本を読み、テレビも見られない生活をなげく村人たちがいる。

深い谷間をふさぐ巨大なコンクリート壁はそんな村人の気持ちも知らずに、今もつめたい灰色をみせて、人間生活の矛盾《むじゅん》をひそかに嘲笑《ちょうしょう》しているかのようである。

取材：一九五六(昭和三一)年

乳頭山から裏岩手へ

――秘話ある山越え――

1

私を乗せた急行「津軽」は、深夜の奥羽《おうう》地方を時速五〇キロの速さで、北へむかって驀進《ばくしん》していた。やがて陽がのぼると列車は秋田県に入る。寝台車に横たわる私の足もとには、汚れた愛用のリュックがある。何度も山へつれて行った袋だ。その中には、これからはじまる数日間の山旅のために、雨具と、懐中電灯と、固形燃料と、そして非常食糧が入っている。

暗い寝台車の灯のもとで、まだ手垢によごれていない五万分の一の地図を私はひろげてみた。「田沢湖」「雫石《しずくいし》」「八幡平《はちまんたい》」の三枚がつなげてある。私の目指す秘湯探訪の山路はこの三枚にまたがっている。ほとんど、その存在の知られていない山間の温泉を一夜の宿りとして、四つの秘められた温泉をめぐるのである。

まず、黒湯である。そして、滝《たき》ノ上《うえ》、第三日が網張《あみはり》、四日目には松川《まつかわ》、すべて私が知るかぎりの文献に、ほとんど詳しい説明の書かれていない山中の湯ばかりである。

黒湯はともかくとして、滝ノ上などというのは温泉宿があるかどうか、それすらよくわからない。網張は名が魅力的だが、岩手山の裏口に位置した不便な山の湯で、盛岡の人に聞いても知らなかった。すべて、いわゆる湯治場で、温泉とはいっても、おそらく、都会人のゆくところではないのだ。

つまり、私はこれから数日のあいだ、二本の脚だけで、道も定かでない奥羽山脈を、西側から、東側へ越えるのである。それも、戦後、空中写真測量で再作成された最新をほこる五万分の一の地図にも、この四つの温泉をむすぶ山路は描かれていない。秋田駒ヶ岳という山がある。この山の存在が東北で唯一の高山植物の宝庫であることは、私も東北大学の学生だったころから心惹《ひ》かれていたが、そのすぐ北に乳頭《にゅうとう》と呼ぶ山のあることは知らなかった。乳頭とは名のごとく、遠望すれば、きっと、秋田と岩手の県境にあってその山頂が女性の乳首のようにとがってひときわ高くそびえているにちがいない。そして、この山を岩手県の側へ下ると、滝ノ上温泉へ直行できるはずだが、そこには道がないようである。しかし、たとえ滝ノ上へ下れたとしても、さらに八幡平の方へむかう峠道に道が切り拓かれているか、どうかも不明である。

大館へ
焼山
八幡平
藤七
秋田
東八幡平
大更
好摩へ
三ッ石山
松川
岩手山
玉川
乳頭山
滝ノ上
網張
好摩へ
黒湯
西山発電所
駒ヶ岳
田沢湖
石神
国見
盛岡
生保内
雫石
小岩井
生保内線
岩手
N
0
10km

それだけに、未知の山々をさぐる一種のたのしさがある。計画は密である必要があるが、旅路に未知な世界が展開することは、私の望むところである。いつも、そうなのだ。

気懸りなのは、今、この急行「津軽」の窓外に降っている雨である。私は天気図を見落としてはいなかった。十号台風は九州北部から日本海へぬけて本州への影響はないものと、天気図は報じている。だが、雨はまだやんでいない。

しかし、もしこの台風が日本海上を北上しているとすれば、私はまるで汽車に乗って、その台風と一緒に北上しているようなものである。私は台風一過のからりとした秋晴れの山を幾度か経験している。今度もそれを期待したのだ。しかし携帯ラジオをもたぬ私には明日の天気を予測するすべはない。

私の知識の記憶をたどると、かつて、キジア台風がちょうど今度の台風と同じ方向で北上したことがある。カスリン、アイオンの両台風のときはたしか、奥羽地方の中央部をぬけ、猪苗代湖の水面が突如として五〇センチも高まった。東北では、「五風十雨」という言葉がある。五日目ごとの風と十日目ごとの雨が降れば、その年の秋は豊作だというのである。豊作になるための風雨も、しかし、考えてみればひとりの旅行者のためには、いささかの同情もしてくれない。私は仕方なく、寝返りをうって、

乳頭温泉郷の一湯である黒湯

山の見えない明日の山路を想像した。

2

田沢湖はけむり、湖畔に人影はない。そして、予期に反して、この湖は心を打つ風景ではない。次第に対岸の山は雲をしりぞけている。しかし、湖の全貌が見えても、この湖は変わりばえしない。

日本一の深度をほこる湖だが、人が十和田湖ほどほめたたえぬ理由がわかる。皮肉って言えば、この湖を配した風景は、都会の銭湯でよく見かける構図である。湖畔に「雪の白浜」などという標木があるが、見れば石英質の砂浜である。ボートが十隻《せき》、モーター船が三隻、その配置は、夏の観光シーズンの終わった瞬間そのままで、船も岸辺も色彩が過剰である。

こんな明るすぎる湖に、なぜ辰子姫の伝説などが生まれたのか疑ってみたくなる。辰子姫というのが、自分の美貌の永遠に衰えないことを必至で祈った結果、この湖に蛇の姿となってもぐったという話だが、この湖自体それほど神秘的ではない。

それなら、湖で獲れる淡水魚の味にでも期待が持てるのかといえば、それも今は八幡平の奥から流れる玉川の毒水がダムをつくったために、この湖へ流れこんでくるので、かつては美味をほこった姫鱒《ひめます》も、絶滅しているのである。

湖畔から、黒湯という最奥の温泉場に別な期待をかけて、私は石神《いしがみ》と呼ばれるバス停留場から乳頭温泉郷ゆきのバスに乗る。しかし、黒湯は期待に反しない旅情にあふれていた。バスの終点は蟹場《がにば》と呼ばれる温泉場の少し手前で、黒湯までは細い山道を歩く必要がある。人が通った気配のない茂みを分けねばならなかったが、やがて急に眼下がひらけて大地一帯から白煙があがっている。

雨のもたらした霧とともに、眼下の凹地はさだかに見えぬほどである。だが、やがて、その白煙のなかから、五つ六つと藁葺《わらぶき》屋根の農家が現われ、露天風呂と木の香のあたらしい旅館らしい棟が見えはじめ、傘を持って往来する湯治客の姿が指させた。黒湯は乳頭温泉郷の最奥の、みちのくらしい湯治場である。

何軒かの農家と見えたものはすべて湯治客用の宿舎で、ここは一つの経営体なのだ。湯治客がふえてきたので、一棟ずつ増やしていった形で、管理人は母屋に住んで、客の希望で部屋を割当てる。だいたい村落ではない。毎年十一月十日になると、管理人も山を下るのである。十一月十日ごろにはきまって新雪が降る。八十年も前からある母屋は、内部でブナの一本柱が黒光りして頑丈そうだが、雪が降れば屋根をこす深さだから、けっして越冬しない。管理人は大曲の町から半年の間だけやって来て住む。一種の別荘人種である。冬ごもりの生活を知らないから、この辺に出没する熊は、やはり怖いという。

もっとも、一口にいって、ここは八幡平の蒸《ふけ》ノ湯、後生掛《ごしょがけ》と同様な風景である。アンペラを敷いて地熱で暖まるかたちの温泉ではないが、硫黄の匂いがこの凹地一帯につねに大地を焦がす凄まじさで湧き上がっている。晴れた日でも、ときどき屋根が霞んで見えない。雨のやまない黒湯の一夜は、ことに硫黄の匂いが、強烈だった。その晩、私はここが硫黄泉であることから次の推理を試みた。乳頭温泉郷が乳頭という一五〇〇メートルにちかい山の中腹から湧いているのなら、この黒湯のすぐ下の孫六、そして蟹場は、おそらく食塩泉ではないか、ということ。というのは、温泉は大きく三つの泉質に分けてよく、火山活動と泉質の関係には不思議と一定の原則があって、火山の噴気孔に一番近いところから湧き出しているのは、たいてい、酸性泉か、硫黄泉であり、泉温ももっとも高く、その少し下部の位置から湧いている温泉は、アルカリ泉か、塩類泉で泉質も少し落ち、さらに、火山の中心から遠ざかると、炭酸泉か、単純泉である。箱根がこの原理を適用できる最良のモデル火山であろう。箱根の神山

黒湯の素朴な露天風呂

の直下に湧く大涌谷と湯ノ花沢は硫黄の煙をあげているが、宮ノ下、塔ノ沢となると、塩類泉か単純泉である。

そして、私は翌日、この一帯の温泉をつぶさに見て、はたして、この原則どおりだということを知って、大地の活動の正直なことを再認識した。乳頭温泉郷は海抜七五〇メートルの地点に九〇度にちかい源泉をもつ黒湯が湧き、そのすぐ下に六〇度の食塩泉をわかす孫六の湯があり、さらに、その下に炭酸性五四度の蟹場温泉があり、一番下は鶴ノ湯と呼ばれ、これはあきらかに硫黄をふくむ炭酸泉で、泉温もさらに低い。

だから、この原理を適用すれば、黒湯からさらに上に登った地点にある一本松の噴気丘は、旅館こそ建っていないが北海道登別と同様な、いわゆる「地獄的」地形で、大地が煙を噴き、その熱湯は一〇〇度にちかく、渓谷の水まで暖めていることになる。

地殻の活動はまことに合理的で、期待を裏切らなかった。しかし合理的でなかったのは頭上にひろがる大空の方だった。大空は少しも晴れ間をみせようとしなかった。台風は日本海の沖へ遠ざかったのではなかったのだろうか。それどころか昭和二十四年のキティ台風のように秋田、青森に豪雨を降らせようとするつもりなのか。

私は慎重に計画した。仕方なく、もう一日はここに滞在し、三日目に山を越える覚悟を決めた。

3

乳頭山を一歩一歩登るころから、田沢湖が見えだした。台風は去ったらしい。黒湯が山ひだにかくれ、一本松の噴気丘が谷間の間に白煙をのぼらせている。秋田駒ヶ岳が右手に現われはじめる。案外山肌の樹々は明るい。山路ははっきり頂へむかって続いている。頂上の手前で湿原が現われる。雲上の広場である。秋の日ざしである。

もう、九月というと、みちのくの山の頂は秋である。アキノキリンソウが、いつの間にか、紫の濃いリンドウに変わっている。咲き残りのクロユリと、咲いたばかりのウメバチソウが、現われた。ウメバチソウが咲けば、もう秋はたけなわといっていい。

この湿原はあかるく、緑の衾《ふすま》で、田沢湖が見えるところである。田代山という山へ尾根がつづき、岩手、秋田の県境は、予期に反して原生林でおおわれていない。秋田杉などという言葉が想像させる山肌は見えない。日本アルプスの双六《すごろく》ノ池か五色ヶ原あたりの風景に似た池塘《ちとう》のある稜線である。その眼前に乳首そのままの盛り上がりをみせる乳頭山頂がスカイラインをいろどっている。

乳頭山の頂は、見事な岩場だった。右肩がほとんど直角に一〇〇メートルも落ちこんだ頂である。咲く植物も、山肌も日本アルプス級である。風雨にさらされて、すき間のないほど、登山者の名前を彫り込んだベンチと椅子が置かれた頂は狭い。狭いが、奥羽山中の高峰の一点に立った感が深い。そして、秋田駒ヶ岳へつづく稜線も、岩手県側も広やかな湿原である。東京の人々が尾瀬の高原を日本で唯一の湿原美だと讃えている視野の狭さを反省させるに充分な風景である。

ミツガシワが投影する小さな湖をいくつか過ぎて、私の登山靴が湿ってくるとやがて急な下りとなり、山路の左右はアオモリトドマツの姿を見せはじめた。この針葉樹が現われなければ岩手県という感じがしない、とついさっきまで考えていた風景が、もう私をとりまいていたのである。

だが、これからが地図に道のない不安の山路である。私はさすがにいくらかの恐怖感におそわれていた。ひとりであることが必要以上に思索を多くするが、数日の雨で濡れた山路が脚に異常な神経を使わせる。幸い、道だけは一筋に下へつづいている。最大四時間歩けば滝ノ上温泉へ着くだろうという予想である。

そのとき、私は突然、跳び上がった。眼前にマムシがとぐろを巻いて私をみつめていたからである。一見してマムシとわかったのは、人間を見ても少しも動じぬその泰然とした態度（？）からだったが、私はおそらく彼にとっては、半月以上出会わなかった久し振りの獲物だったにちがいない。私は一瞬、躊躇《ちゅうちょ》し、彼がとぐろを解いて、

U字形に身体を二つに伸ばしたのを見て、これが獲物にとびかかる直前の姿勢だということを見てとった。

マムシとの出会いもはじめてではないが、こんな風に突然、一対一で相対したことはなかった。彼が一瞬目をそらした瞬間私は跳んだ。実際は、跳んでも、マムシはこれぞと目をつけたら、一メートルぐらいは跳び上がるのである。

危機を脱してからの私の思索は、しばらくの間、マムシの警戒だけに集中した。天候のことも忘れていた。明日の山路に対する不安も、しばらく念頭を去っていた。雨がやんで頭上の雲が切れ、青空がのぞきはじめたことを知って安堵《あんど》したとき、また一匹のマムシに出会った。結局、滝ノ上温泉にたどり着くまでに三匹のマムシから睨まれた。

滝ノ上の温泉で聞けば、私の無謀さは反省された。この滝ノ上温泉は県境から流れ出る葛根田《かっこんだ》川の源流に近く、この一帯はマムシの生棲地としてふもとの村人にはすでに定評のあるところだというのである。この川の下流にある西山村の元村長は栗木長太郎といって、マムシを生きたままで捕える唯一のベテランとして、某製薬会社と特約して、閑があればこの滝ノ上温泉を根城にマムシを獲っているのだそうである。

決死的な職業だが、この老村長にとっては、マムシこそ生活費の源泉とあればマムシにやられてはモトも子もないので、その日最初に捕えた一匹だけは、必ず食べて売り物にはしないというのである。これはタタリのないように祈る一種の信仰らしい。彼ほどのベテランでも、三匹一緒にいるマムシを捕えようとすると、大抵手を嚙まれるという。そんなときはすぐ毒血をしぼり出して応急措置をするらしいが、うまくゆけば一日二十五匹の収穫をあげるというから大した人物である。

滝ノ上の温泉宿を協同組合から依頼されて管理している若い夫婦も、このベテランからマムシ酒のつくり方を教えられて、つくっていたが、マムシはまず二ヵ月間はビンに入れて生かしたまま汚物を吐き出させ、体内を綺麗にしたら、今度は焼酎の中に入れて、三年ぐらい放置しておくのである。酒の中に入れても、二時間は生きているというから大した精力である。一匹七百円で売ってくれといった人がいたそうだが、そんな安い値段では売れないというのである。

しかし、この滝峡荘の若い奥さんは、東京の蒲田《かまた》育ち、方言も喋《しゃべ》らなければ、山住いもまだ二年目だというだけに、ここで冬を過ごす淋《さび》しさが身にこたえたとみえて、マムシのことより女性が結婚によって運命を一変させることをしきりに訴えた。この宿の若夫婦は冬もここで暮すのである。雫石からざっと八里、冬は峡谷のような葛根田川をさかのぼるのに大した時間がかかる。雪が深くてバスの終点の西山発電所から一日では歩けない難路となるそうである。雪庇《せっぴ》以上に危険な峡谷の雪壁が一里を数時間という歩行速度にする。若い奥さんははじめてこの谷間の奥へ住むとき、蒲団《ふとん》を背負って雪を踏んだそうである。はじめて来たのがクリスマスの晩だった。若い彼女は逞《たくま》しい夫に従って越冬を覚悟したが、陸の孤島のようになるこのマムシの生棲地に移り住んで、その冬は幾度か夫の前で涙を流した。

最初の冬、二階を新築するので、雪の降る前に対岸まで運んできておいたガラス板を夫と二人で運び入れたことがあった。ところがほんの暫《しばら》くの間に、あたりは吹雪になっていて、対岸に戻ろうとしたときには、さっき渡った吊橋がもう流されていて、仕方なく重いガラスを背負って、夫の手にすがりながら川を渡ったそうである。上半身まで冷たい水にひたって、若い妻はこの谷間が、生活の一種の極限状態だということを改めて知った。

夏ならば、この宿のすぐ前の川底から熱湯が湧き、鳥声ノ滝は湯を落下させているが、真冬はすべてが、雪におおわれている。マムシは冬眠できても、人間は冬眠できない。彼女は今年も冬を越すのである。

4

滝ノ上から、八幡平の南にある、三ッ石山《みついし》の鞍部《あんぶ》へ登る山路が、二年前から切り拓かれていると聞いたが、私は網張という裏岩手の山中の温泉が見たかった。

三ッ石の山荘を通って直接松川温泉へ下れば六時間の近さと思われたが、わざわざ迂回した。葛根田川を玄武洞のある下流まで下り、海抜七五〇メートルの岩手山中腹にある網張温泉までふたたび登ることになる。この葛根田川の峡谷はトロッコ道で何の面白味もなかったが、これがあの若い夫婦の愛情をたかめた雪の難路だと思うと平凡な渓谷も意味をもった。

滝ノ上温泉の名は、鳥声ノ滝のすぐ上に湧いているところから名がついた平凡なものだったが、この網張は想像どおり、もっと由緒が面白く、昔はマムシが露天風呂に入ってきてオチオチ湯にひたっていられなかったところから、湯舟に網を張ったというのが起こりで、そんな話を聞かせてくれた一軒宿の管理人は、廃屋にちかくなったこの藁葺の湯治場を必要以上に卑下して、「こんな温泉は、もう今では流行《はや》らない、岩手山に登る若い人でもここには泊まってくれない」とわざわざ訪れた私を喜んで歓待してくれたが、かたわらで、彼の奥さんは、極端な方言で「オママカシェア」（御飯を食べなさい）と無表情に言って、「エハガキなどで御ろうずて、おであるべども……（絵葉書などで御覧になっていられましょうが……）……岩手山はいい山だ」と眼前に見える南部富士だけはほめたたえた。

たしかに岩手山は見て美しく、登って魅力のある山で、年ごとに登山者はふえ、今ではこの下山路にあたる網張の前も夏なら人がさかんに通り、かつておそれたマムシも姿を消したようである。しかし、バスが発達し岩手山が楽に日帰りできるようになったので、盛岡市民もここに一泊する必要がなくなったためか、年ごとに見捨てられ、今ではついに雨の漏る老朽家屋となり果てた感がある。八幡平などが有名にならない三十年前が、この湯治場の全盛時代であった。思うに、盛岡市民が岩手山よりも、八幡平の方へゆきたがり、たまに、この廃家のような宿を訪ねてきた人も、宿の前で「網張はどこですか?」と聞く有様で、およそ都会人にとって、これがはるばるあこがれてきた温泉宿とは思えないのだろう、と宿の篠村さんは、ランプを磨きながら、すでにこの建物が天然記念物化した事実をみとめるのである。

そんな網張で一夜を明かして、宿のすぐ後ろから急坂を二時間登ると、裏岩手の稜線へでる。台風一過の快晴が私をとりまいていた。細い山の背が八幡平の頂まで十里ちかく続いて、岩手山が背後に、盛岡の盆地が眼下に、そして、松尾鉱山の硫黄の烟煙が北の谷間にゆっくりと立ち昇っていた。

アオモリトドマツの稜線は大松倉山の頂へ近づくと、背の低い灌木に変わり、二日前に登った乳頭山が県境に乳首さながらの姿で見えはじめた。やがて東の空も晴れ上がる。すると、早池峰《はやちね》山が北上《きたかみ》山地の上にひとり高く顔を見せた。早池峰山が見えれば、私の山旅はクライマックスに達したのだ。雲は一七〇〇メートル以下に僅か横たわるだけで、西側の奥羽山中はすべて雲ひとつない。

裏岩手といっても、大松倉山の頂の三角点を踏んで三ッ石の山荘のある鞍部へ下れば、ここはもう八幡平の一部といっていいであろう。しかも、季節はずれの人のいない山路である。

道は一筋につづいていた。だが、三ッ石山を前にして下ったとき、私がその峠で見た山小屋は、人影はなくとも、充分に人間の匂いを感じさせた。

「登山者日記」が無人の小屋の無聊《ぶりょう》をなぐさめるために置かれてあり、そこには何人かの秘境愛好者の率直な感想が綴られていた。私はそれを丹念にめくった。「台風に出会い、二日間、尾瀬より美しい高原の一隅《いちぐう》にあるこの無人の小屋にお世話になる。大学生活の最後の想い出に、ここに泊る。本当に感謝で一杯だ」と書かれた若い学生の文字、見ればそれは私より二日前の記録である。たったひとりで来て、ここに泊ま

裏岩手縦走路に建つ三ッ石山荘

って、山を下って行ったひとりの青年の気持ちが想われた。なぜなら、この場所に、こんな小屋があるのを知っている人はほとんどいないからである。八月中でさえ、十人程しか泊まっていない。この学生も、おそらく、偶然にも、ここで小屋を見つけ、台風を避けることができたにちがいない。

しかし、考えてみると、八幡平が有名なのに較べて、この南八幡平、裏岩手というべき地域は、こうした少数の秘境旅行者だけにしか知られていないのである。この小屋はふもとの村民の寄付によって建てられたと書かれている。立派で頑丈な小屋である。

利用者の少ないこんな峠道に小屋を建てるなどということは、戦後の世智辛い人情からは生まれない。そんなところに、私は南部の人々の心根をよみとった。松川温泉へ最後の下りは快い気分に充ちていた。

初出：『旅』一九五七（昭和三二）年一一月号

谷

神流川源流をゆく

——西上州から奥信州へ——

1

関東地方の一隅《いちぐう》に、隔絶された山国がある。村人はどこへゆくにも、峠を越さねばならぬ。いわば、そこは峠にかこまれた国である。実際には、武蔵《むさし》ノ国とか、上野《こうずけ》ノ国とかいったひとつの地域ではないが、地図を見れば、この風土は今なお二十世紀の後半にあっても完全に孤立している。正確には現在の群馬県多野郡といえば見当がつくだろうか。いや、そういっても、ほとんどの人にはその風景は実景として浮かび上がらないかもしれない。関東平野がそのひろがりを上州の中央部で終わらせて山にうつろうとするところ、そこに当然平地をさえぎる壁があることは想像がつくだろう。高崎と寄居《よりい》をむすぶ線上に上州と信州のさかいの山々がせまっている。鬼石——「おにし」、その地名を地図の上に見出すとき、人はそこからさらに山へ入った一帯の地

神流川源流部の谷間

域を訪れた記憶を思い出すことはおそらくあるまい。群馬県といえば、利根《とね》のみなかみであり、赤城《あかぎ》、榛名《はるな》、妙義《みょうぎ》を中心とする山の風景ばかりがすぐ連想され、水上や碓氷峠を奥上州と考えて旅する人には今後も足を入れる機会はない地域であろう。

要するに、なにも見るべきものがないのだ。奥秩父の山を踏破する人もこの谷間へ下りることはない。石灰岩の山はあってもセメント工場もない。東西南北すべて山にかこまれて、山にかこまれていれば当然、長いあいだ関東平野との交渉はなかった。前橋・高崎あたりの人は、昔から、ここを「山中《さんちゅう》」と呼び、地質学者は、その地形のめずらしさに目を見張って、ここを「山中地溝帯」と名づけた。南は埼玉県に接し、西は信州佐久《さく》に隣り合わせているが、一口にいって、ここは大きな地の溝であり、どうしても高い峠を越えなくては入れないのだ。谷間を縫う唯一の道があるにしても、聞けば、鬼石からの街道は、明治以降になってひらかれたものである。思えば、ひとつの鎖国的な風土である。

だから、今なお、この地の溝のような国は大都会東京の文化の発展を山はるか先の別世界の出来事のように噂しながらひっそりと石置屋根の農家を山肌に並べて眠っている。バスは鬼石から一日に何度か車体をゆるがせながら、この谷間へ姿を見せるが、そのバスのスタイルもおよそ明治時代を想わせるような時代ずれしたものだ。だから、

水上へ
小諸へ
軽井沢
横川
信越本線
松井田
安中
高崎
群馬
富岡
神津牧場
鏑　川
下仁田
温石峠
赤久縄山
塩沢峠
投石峠
八倉峠
塩ノ沢峠
檜沢峠
鬼石
三波川
万場
中里
上野
乙母
十石峠
坂下
土坂峠
坂丸峠
神　流　川
浜平
志賀坂峠
長野
（南佐久郡）
両神山
埼玉
信濃川上へ
三国山
三国峠
梓山
十文字峠
N
0
10km

村人は今でも峠を越すことを肉体的苦痛とは思っていない。峠を越せば、下仁田《しもにた》へ、秩父へ、そして信州へゆけるのである。ここは完全に、峠のくにである。北には温《おん》石《じゃく》峠、石神《いしがみ》峠、投石《とうせき》峠、塩沢峠、杖植《つえたて》峠、八倉《ようくら》峠、檜沢《ひざわ》峠、塩ノ沢峠、と八つの峠が数えられ、南には太田部《おおたぶ》峠、土坂《つちざか》峠、坂丸峠、志賀坂《しがさか》峠、三国《みくに》峠と五つの峠がつづき、その峠は、それぞれ、一二〇〇メートルほどの高さの山々をむすんで、さながら城壁のようにつらなっている。飛行機の上から見れば、おそらくこの谷間の村は、楕《だ》円形《えんけい》をなした東西に長いひとつの大きな地の溝であろう。だが、その風景は山村をちりばめて美しい。日本の風景を空の上から数多くつぶさに見たことのある飛行士は、この峠にかこまれた風土を見下ろして九州の耶馬《やば》渓につぐ、大地の地形美だと言った。おそらくは、すりばちの底のような谷間に神流《かんな》川が蛇体のように、ひとすじだけうねって光って見えるのであろう。かつて、この谷間をとりまく峠のひとつに立ってみたとき、私はここここそチベットのようだと思った。チベットとは、地球上で、隔絶された人を寄せつけない内陸の地、四囲は高い山々でかこまれ、鉄道もなく、わずかにキャラバンが通うような、高燥の地のことである。この関東地方の一隅の風土も海から遠く、海抜は五〇〇メートル以上を示している。

だが、戦後の日本は谷間という谷間にダムをつくり、秘められた僻地《へきち》というものは、年ごとに姿を変えつつある。それなら、このとりのこされた高地もそうだろうか。私はそれをつぶさに見たいと思い、春遅いこの谷間へ入った。

2

関東平野も上州に近い本庄《ほんじょう》の町からこの谷間の入口へ通うバスは、鬼石で一度お客を降ろし、万場へはまだ、相当の時間がかかることを教えてくれる。万場といえば、チベットならばラサにあたる主邑《しゅゆう》である。しかし、およそこの谷間の首都とはいえない街道ぞいの町でしかない。バスは鬼石から、三〇キロちかい距離を谷を縫って走り、その車窓から風景を眺めようとする私をひやひやさせた。曲折の多い切り立った崖みちはすれ違いも困難である。この渓谷に道をつけてバスを通わせるのには相当な困難がともなったことは充分うなずける。

歴史的に調べてみてもわかるように、もともとこの地の溝に住みついた人々は上州の方から入ったのではない。すべて関東平野と反対の信州の方から峠を越えて入ってきたのである。その証拠に、この谷の奥に上州へ越す唯一の峠があり、その名は「十《じゅっ》石峠《こく》」と呼ばれ、封建時代には、この峠を、毎日十石の米が馬にのせられて越えたのである。すべて交通は信州佐久の谷間からなされた。おそらく、嫁とりも、そして、方言も佐久から入ったのであろう。発音は同じでも箱根の十国峠とはおよそ発生的にちがい、この十石峠は、米のとれない上州奥への唯一の食糧補給路だったことを意味している。その十石峠街道をいまバスは一生懸命走る。どこまで行っても車窓の左右には石置屋根の農家と急な斜面の山々ばかり、それがこの谷間の最後までつづくのだろう。一見それは甲州あたりの谷間風景と同じであり、一口にいって、その家の姿はカイコを飼って生活する家々のつくりとわかる。だが、この谷間では、すでに蚕は他の地と同様、遺物的生業となってしまったのだ。戦後のナイロンの進出、繊維工業の革命、それが生産者の末端にまで影響しているのは、この谷間ばかりのことではない。「赤城式民家」といわれる独特な養蚕専門の農家のつくりも、今や天然記念物的存在にちかい。戦後になって、この谷間の人々も当然生きるすべを別のものに見出したはずだと、私は考えた。

聞けば、それが今やこの谷間で最大のドル箱といわれるコンニャクの栽培のようである。万場の町の人は言った。

「もう山の樹はほとんど伐《き》りつくした。木炭の製造は底を尽きました。なんとかしてまた金になることを考えなくちゃならねえ。幸いに、戦後はコメが食えますがね」

戦争がはじまってこの谷間は食糧の配給制度をひとしおよろこんだ。それまでこの地の人々はカイコを飼うかコウゾから紙をつくるかして、ほそぼそと金に替え、ヒエ、アワ、そしてトウモロコシを食べて生きてきたのである。すべて傾斜地である。桑は育っても、麦は育たない。それだけに、敗戦直後の木炭不足の世には、大いに稼《かせ》ぎに精を出したのだろう。山を唯一の資本とする村人たちは、根こそぎ樹を倒して木炭をつくった。当時、貧困な都会生活者はどんな高い燃料も買った。だが、皮肉なことに供給の方には限度があった。山肌が坊主になりかけてきたとき、谷間を流れる川が氾《はん》濫《らん》した。山の樹を伐ればかならず洪水が起こるのは理に合ったことである。それに気がついたときには、そろそろ全国各地に水力発電のためのダムが着々とつくられはじめていて、家庭用薪炭の需要は少しずつ落ちていた。

荒れはてた山肌を見て、谷間の人々はふたたび生活苦におちいった。何かまた新たな生業を考えなくては——と、そしてやっと活路を見出したのがコンニャクつくりであった。考えてみれば、樹を伐ったあとの日当たりのよい山肌ではコンニャクがよく育つことを知ったのは、この谷間の人々の叡智というべきであったかもしれない。

最近ではコンニャクは火薬の原料につかわれているともいう。しかし村人はその最後のかたちなどは知らない。ただ、売れるからつくるのである。都会の人がそれほどコンニャクを食膳にのせるとも思いはしないが、あえて、その加工の過程を知ろうともしない。とにかく売れればいいのだ。昔から、この谷間の北にある下仁田の町は下仁田コンニャクと自慢する良質なのができるというが、実は、その原料供給地が全部この山村なのだということを都会の人が知ってほしいとも願わない。

こうしてつくったコンニャクは、レザーやビニールの加工につかうのだそうだ、などと村人たちの一部は臆測するが、そんなことは真剣に議論する話題とはならない。戦前は「山中炭《さんちゅうすみ》」そして今は「山中粉」と、人が呼んでほめて買ってくれさえすれば、それで生きてゆけるのである。

人間はつねに、経済機構と無縁には生きられない。ひとつの風土を見て、その地形、地質、気象を総合して、その土地土地の特殊性を説明する人がいるが、一部地理学者のように、純風土的見方だけで、現今のように複雑化した社会生活を論断することはさけるべきである。私はこの旅のさなかでもそう思った。経済学を専攻した飯塚浩二氏が言うように、新しい人文地理では「環境論」的な風土観察はもう通用しない。人間の生存条件は二十世紀の後半に入って、ますます複雑化している。傾斜三〇度の山肌が桑の栽培に適し、雨量一〇〇〇ミリ以下の乾燥した瀬戸内海が天日製塩に適するといって、それだけで、塩や桑がかならずこのような風土にばかりできると思いこむのは早計である。

この谷間の生活をみる場合も同じことである。山奥も年ごとに変わってゆく社会情勢とともに、基本的な生業も変化をみせている。万場のさらに奥にひそむ乙母《おとも》とよばれる集落の人が、この谷間はすでにコンニャクから、さらに「石」を商品として売る時期になっていると語ったとき、私は改めて、眼下をながれる渓谷の底に目をむけざるを得なかった。

たしかに、この渓谷には、大きな岩石が露出している。この石は下流の鬼石付近では、三波石《さんばせき》と呼ばれ、その色はうすみどりの美しいもので、日本の地殻のなかでももっとも古い時代のものとされ、すでに天然記念物に指定されている。地質学者は「三波川層」と呼び、貴重な緑泥片岩のある地域として、秩父《ちちぶ》の長瀞《ながとろ》よりもこの渓谷一帯を重要視している。

だが、この石はいくら美しくても、天然記念物となった以上、やたらに採って商品にすることはできない。そこで人々はその指定地域外にある川床の石を売ることを考えついたのだろう。鬼石から万場へむかうバスの車窓からは、そこに三々五々つどい、岩上に憩う行楽客の姿が見られたが、万場より上流にくれば、川原に下り立つ人もなく、それを幸いに村人はトラックの下りる道をつくり、そこで形のよい石をさがしてのせ、三波石と称して東京都内へ運ぶらしい。三波石なら高く売れることを谷間の人は充分計算に入れていたが、残念なことには石の数にも限度があった。ちょっと見た眼に美しい三波石はほとんど採りつくされ、今では「アカイシ」と呼ばれる黒褐色の石しか残っていない。そこで、ハッタリのきく一部の人々は、これを「三波石」と称して、東京へトラックで運び、金のありそうな料理屋の前などに行って、「どうです。ちょっといい三波石ですよ」などと嘘を言って、押し売りして帰ることを考え出したのである。

人間は生きるために、こうした生業を次々と見つけ出すのだ。三波川層の石が埋蔵されているのは、少なくとも鬼石と万場の間だけである。しかし、コンニャクもつくれない村人の一部にとっては、この石こそ唯一の商品だと思えば、夜陰に乗じて川原の石を運ぶその気持ちを一概に責めることもできまい。

乙母の宿の主人は言った。

「この床の間の松をごらんなさい。ヒメコマツですが、やはりこれも人目をぬすんで奥山から切ってきて床の間用の名木として都会人に売りつけるんですよ」

見れば、たしかに見事なヒメコマツだが、今どきこんな樹はよほどの粋人が正月の飾りにするぐらいなものであろう。

そんな樹をあさりにゆく奥山とは、どんなところか、と聞けば、宿の主人は、そのあたりは、今でも国有林で、営林署の軌道《きどう》が走り、いつも監視の眼が光っているのだから、相当な度胸と体力のいることですよ、と笑った。

が、私はその奥山と呼ばれる谷間が急に見たくなり、そこには、おそらく昔のままの原生林が茂っているだろうと、ひそかに期待し、翌日はこの谷間の源流をさぐろうと、心にきめた。人間と、そして自然、この二つを見なければ、この地溝の良しあしはわからないと思ったのである。

3

「川丈《かわたけ》十三里、うち万場から上が二里」と村人が言うとおり、この神流川の谷は坂下という最後の集落で、山にぶつかる。そして、ここから十石峠街道の坂道がはじまる。バスは乙父《おっち》とよぶ一里下の集落を終点として万場へ引き返す。私は仕方なく、通りすがりのトラックを呼びとめてそれに便乗する。十石峠を登って佐久へゆけば、この谷は自然に羽黒下《はぐろした》という小海線の駅へ出るが、これは、退屈な山道だ、と乙母の宿の人は言った。やはり、神流川の上流を見るのなら、本谷《ほんだに》という、今は人も歩かない谷道を千曲《ちくま》川の源流にむかって越えることだ、と言った。

だが、坂下という最奥の集落で降ろされた私は、その目的の谷間に、ほとんど道がないことを聞かされた。地図を見るとたしかに、細い破線路は谷の奥で消えている。一瞬、不安がおそった。といって、ここで引き返す気にはなれない。この峡谷のような村をぬけ出す道は、やはり峠しかないはずだ。鬼石へ戻らないかぎり、十石峠を越すか、どこか少しでも低い峠を越すほか脱出の道はない。しかし、なんといっても、もっとも心をひかれる未知の峠道は、この本谷と呼ばれる谷間をさかのぼって、千曲川の源《みなもと》にある梓山《あずさやま》へゆくことである。昨夜すでにそう心にきめたのだ。五万分の一の地図一枚が唯一のたよりだが、たしかに、この峠道は谷間の人の言うように、かつては歩かれ、今は廃道にちかい、困難な山路のようである。しかも、十石峠とはちがい、その峠道は一七二八メートルの三国峠を越えてゆくようである。道も定かでないこの源流を登るのには相当な勇気が必要だと思われた。

しかし、すでに未知の山を何十回と地図一枚をたよりに歩いた経験がある。天気さえ悪化しなければなんとか精神力が峠越えを可能にするだろう、と言い聞かせ、五貫目にちかいリュックサックを背負いなおして、腋の下にかたくピッケルをかかえて一歩をふみ出した。

4

本谷と呼ばれるだけに長く、そして、深かった。左右の山は宿の主人がほめたように、たしかに山水画的な構図で切り立っていたが、残念ながら、雨が今にも降りだしそうな空であった。浜平《はまだいら》という鉱泉宿を川の対岸に眺めて、最後の村人にわかれをつげると、とりまくものはただ川と山だけになった。幸い、浜平から二里ほど奥まで営林署の軌道が敷かれている。これを道だと思えば不安がないが、歩きにくいトロッコ道の三時間が終わると、すでに時計は十二時ちかくを指して、私は、一向に晴れない大空を峡谷の底からうらめし気に仰いだ。これから地図には道のない峠道にかかるのである。どのあたりを歩いているのか、少しでも注意を怠れば、霧でおおわれて行手の見えない山道では、思いがけない危険に遭遇する。細々とした木樵《きこり》道、その行手はまったく深い霧で見えず、気温は次第に下がり、曲折は何度となくつづき、汗は冷水のように背をつたわって、不安は少しも去らなかった。たったひとりで、未知の山を歩くとき、いつも私は自分の行為の空しさを感じる。たのまれて登る山ではないのに、肉体の苦痛が多すぎると、それがひどく自分をみじめな気持ちにさせるものだ。しかし、こうして午後二時まで登ってきた以上もうあとへ引くことはできない。とりまく山の壁の凄さを考えて、本当にこの道を昔は人が通ったのだろうか、と思わず疑って、ますます深くなった霧の中を夢中で登る外なかった。ほとんど休もうともせず、気持ちはただ峠へ出ることに集中していた。というのも、ふもとの村人が私に再三忠告したように、たとえこの谷間を登っても、上州と秩父と信州を分ける尾根の上に出たときに、もし万一間違って秩父の方へ下りたら、一日歩いても人家はない、といったことを心の中で繰り返していたからである。

考えてみれば、ここは、上州と信州と武州の三つの国が分かれている三国境だったのである。この山深い峠にきて一歩判断をあやまれば、たしかに、道なき原生林の中へ私はふみ迷うだろう。一体自分がどの位の高さにいるのかも見当がつかない。道がやがてどのように分かれてゆくのかも予測できない。ただ方向だけは見失っていないという自信と体力がついに、尾根へ私をみちびいた。

そのとき、霧は突然、アラレに変わった。一七〇〇メートルの高さあたりと判定さ

その後、姿を消した浜平鉱泉

れる尾根の上では樹々が凍りついていた。雪が尾根をおおっていた。樹林は幻想的な風景を見せていた。霧氷である。さすがに三国境にそびえる山だと思われた。

やがて「右・三国峠　左・秩父旧道」という道標の文字が行手の木の間から小さく読めた。細々とした尾根みちは雪をみせながらしばらくつづいたが、ついに、三国峠へ出た。その瞬間、眼の前が見事な明るさとなった。

金峰山《きんぷ》がすばらしいピラミッドをみせて、青い大空から浮き彫りされていた。千曲川源流は晴れていたのだ。信州と上州とはこれほどちがうものか。後ろをふりかえると、神流川源流は相変わらず深い霧につつまれていた。これが峠だと私は思った。

国境を脱走する旅人のように、私は、疲れもわすれて、信州へむかって駆け下りていた。こうして無事に、私は明るい信濃の国へ脱出した。

初出：『旅』一九五八（昭和三三）年六月号

上州、甲州、信州の三国境付近にあった標柱

大杉谷峡谷をさぐる

——秘瀑の宝庫——

1

渓谷の美しさを決めるものは、水と岩である。濁った水は美しさを感じさせない。岩石もその種類によっては美しくない。たとえば同じ渓谷と一口にいっても、水成岩質のものと、火成岩質のものがある。そして、日本では、いわゆる渓谷美と称せられているもののほとんどが花崗《かこうがん》岩質の露岩であることを考えると、やはり、堅い岩は何年経ってもたやすく身を削りとらせないのであろう。昇仙《しょうせん》峡、寝覚《ねざめ》の床《とこ》がそうであり、近頃、一躍名を売り出してきた越後の清津《きよつ》峡も安山岩である。

だが、そういうことがわかってみると、逆に水成岩質の渓谷に心惹《ひ》かれ、きっと、そういう渓谷こそ、今なお、案外野暮だが、昔変わらぬ実直な姿で山の片隅に眠っているように思えたのである。水成岩質の渓谷といえば、岩は柔かくて水に溶け、滝な

宮川ダムを望む大杉集落

どをもつ立派な谷はないだろうと思いこんでいる人も多いようである。

しかし、かねてから、私は水成岩質の山を削って流れる渓谷のふかぶかとした大きさに別種のよさをかんじていた。東京付近でいえば、奥秩父の古成層を川床にもつ中津峡がそうである。先日はるばる訪れた加賀の白山《はくさん》の中腹の尾添《おぞ》の渓谷も予期に反して水成岩質であった。

こんな私らしい自然観察が近畿地方の一隅《いちぐう》にかくれた、大杉谷の渓谷へ行かせた。人間観察とはちがって、自然界ではひとつの類型から、他を推測することが可能である。秩父古成層が中津峡ほどの見事な深さをつくりだすのだとしたら、同じ古成層をもつこの紀伊山地の一隅の渓も、おそらく相当な深さと廊下状の暗い渓谷をつくっているにちがいなかろうと判定した。

事実、その期待は裏切られなかった。たしかに、この大台ヶ原を源《みなもと》にもつ渓谷の姿態は、「渓谷」と呼ぶより、「峡谷」というにふさわしかった。そこは伊勢山田を流れる宮川の源流である。吉野熊野国立公園の東端に位置しているが、気軽な国立公園散歩者などを寄せつけないところである。地図を見れば、「大杉谷」の名は書かれているが、細部記述を自負する旅行案内書にも書かれていないところである。吉野熊野国立公園の紹介書には、熊野路と大峰山脈の現況には筆を費してあっても、この大杉谷

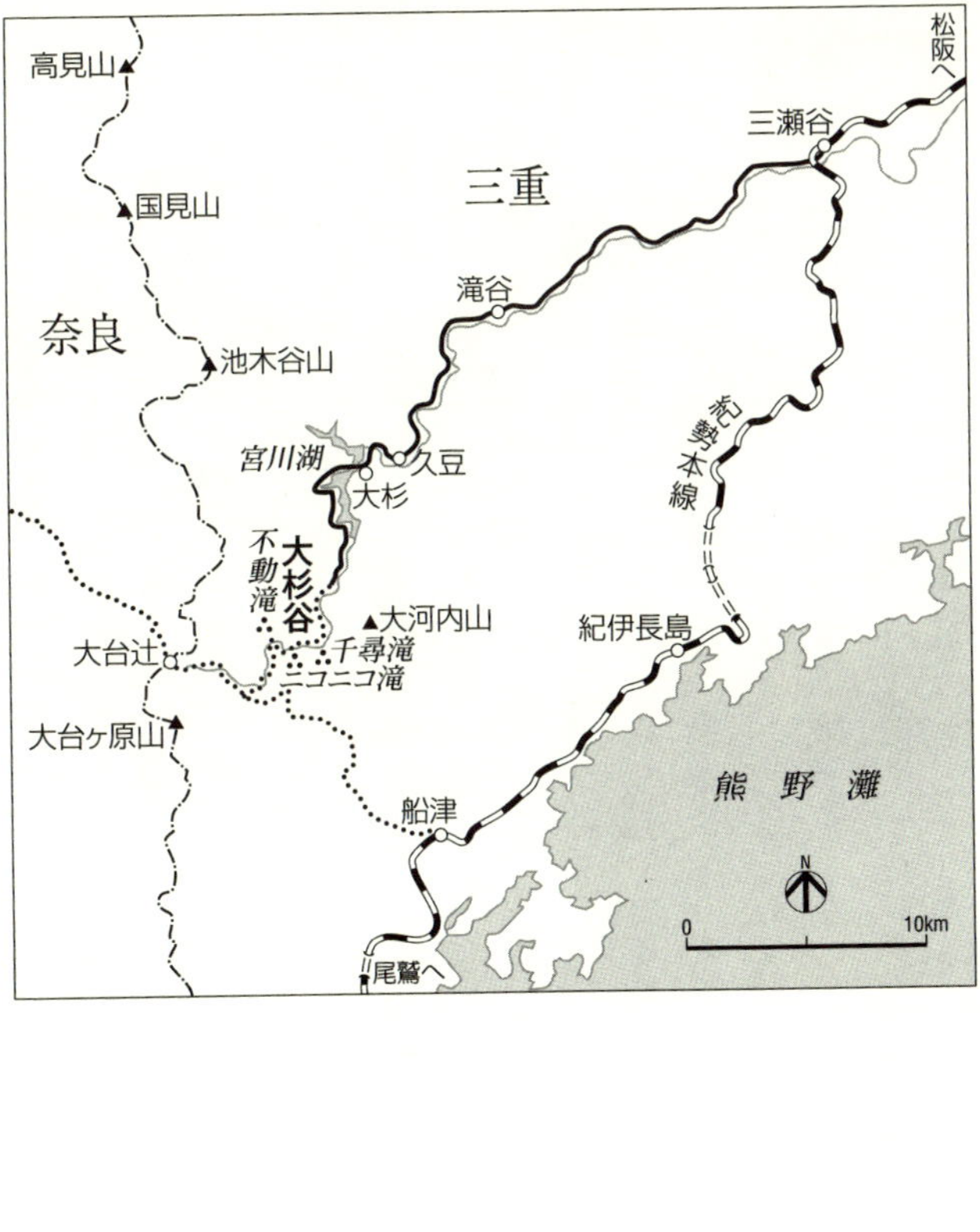

高見山
国見山
奈良
池木谷山
三重
松阪へ
三瀬谷
滝谷
紀勢本線
宮川湖
久豆
大杉
不動滝
大杉谷
大河内山
千尋滝
ニコニコ滝
大台辻
大台ヶ原山
紀伊長島
熊野灘
船津
尾鷲へ
N
0
10km

には、ただ、名のごとく「杉の美林に蔽われた渓谷美」とあるだけである。人はまず、そこへの経路を見つけねばならない。吉野奥から入るには大台ヶ原の裏側になる。伊勢側から入る外はない。そして、旅行案内書のないそんな旅のたのしさをひそかに味わいながら、私はふらりと、紀勢《きせい》東線の三瀬《みせ》谷という山間の小駅に降り立った。そこは地図で見ると、宮川の中流であり、少なくとも、この駅から谷に沿って、街道が西へ真っ直ぐに一本通っている。そして予期どおり、そこから「大杉谷ゆき」とはっきり書かれたバスに乗って、心に描いた水成岩質の谷間へさまざまな期待を寄せてみた。

期待を裏切った最初のものは、そのバスの終点に、ダムができていたことである。渓谷美と電源開発の席の奪いあいはここでも起こっていた。そして、ダムに付きものの、掘立小屋のような飯場、三浦洸一の唄う「ああダムの町」というレコードのひびき。谷間をふさぐ直立の冷たいコンクリート壁。しかし、その高さがいくら高かろうと、今の私には、そこから「ダムの経済性」という現実のテーゼを考えてみる気持ちはない。ダムも必要であり、旅も生活に必要である。私はダムの建設を不当に非難する感傷旅行者ではない。時代とともに、風景鑑賞の感覚もちがってくるべきであり、二十世紀後半において芭蕉《ばしょう》情緒にひたろうとするなら、旅先について事前にもっと再検討する必要があると、私はいつも人に言っている。

その証拠に大杉谷の入口をうずめるダムは月並みでも、その少し奥へ行けば、人情も、風景も、少しもダムの影響はこうむっていないのである。大杉谷の本当の美しさはそこにある。そして、この峡谷は、まさに、渓谷よりせまい地底の廊下であって、そこははるかな昔とほとんど変わっていないのである。

自然界とはちがって、人間の世界ではひとつの精神類型から、他を類推することは軽率《けいそつ》である。ダムのかたわらにたたずむ工事人夫がたとえ不親切であっても、そのかたわらを歩んでゆく村人の心が同じように親切さに欠けていると即断してはならない。ダムは画一品であっても、人間の心は千差万別である。

旅情のたのしさはそこにある。新しく生まれた峡湖の谷底から引越した大杉の村で私はまず予期に反した人情に接したのである。ダムの人夫の夜の宴会を拒絶して旅館営業をつづけようとするその宿の主人の心根に、少しも排他的な感情を感じなかった。彼は湖底に沈む村からの移動で得た生活補償金で、あたらしい宿を建て、それを大杉谷の旅行者に利用してもらう気持ちがあった。宿は「美杉」と名づけた。「美しい杉」の繁る谷間にふさわしい名を考えたのであろう。

窓からダムは見えず、しずかな青い峡湖が眼下にひかるところである。まだボートも浮かばず、湖畔の道に旅行者の姿はない。いつものように、このときも、私は季節はずれの徒歩旅行の放逸な開放感を味わった。

2

予期に反したものは、谷の深さであった。ここでは、正確無比をほこった、かつて陸地測量部の地図が、無惨にも、その欠陥を丸出しにしている。つまり、この地図は、すでに言われているように山の高さと尾根の形においては正確であっても、航空写真のない時代につくられた戦前のものでは、谷の奥はほとんど推定で描かれていて、ことに人跡未踏の部分にいたっては、すべて臆測で描かれている。つい先年、奥日光湯元と丸沼をむすぶ山路で、谷の地形が実際よりひとつ少なかったために、地図を信じたハイカーが迷いこんで一命を失ったことがあった。戦前とちがい航空測量も充分可能な今日であり、しかも登山者に需要の多いこの地図が一命を奪う事があっては、と、そのとき当局はただちに現地へとんで、精密測量で修正したというが、この大杉谷は戦前の地図と戦後の地図ではまったく川筋の流れがちがっているばかりか、距離に大きなちがいがあり、山が変形したことはあり得ないとすれば、あきらかに測量がいい加減であったことを暴露している。たとえば、大杉峡谷の源近くで二つに分かれる川筋は、まったくその方向と長さがちがっている。古い地図で私が最初判定したとき、この谷はさして蛇行しているとは思われなかったが、新しい地図では、ほとんど九〇度ずつ三ヵ所で曲折して流れているのである。だが、そこにこの谷に対する私の軽視があった。永いあいだの秘境探訪の経験で、ある類型から他を推測することの習慣が身についていたが、この峡谷の探検には、期待に反して、時間の大きな誤差があった。

宿の主人は言った。

「華厳《けごん》ノ滝よりすばらしいものがいくつかあります。ことに不動滝、与八郎滝はたいしたものです」

この主人の表現法は、私の気に入った。というのも、まったく未知な者に対して、ある新しい事実を説明するには、その人が知っている過去のなにかを基準として示すという親切心があったからである。すばらしい――といくら絶讃してみても、しばしば共感は湧かない。説得力のない讃美に対しては、現代人は、たんなる「自己陶酔」しか感じないことを、彼も知っていたのだろうか。

だが、そうした宿の主人の正鵠《せいこく》を得た説明を私はうたがい、この谷なら、入口から不動滝まで三時間もあればゆけると考えたことは明らかに認識不足であった。第一、この谷の入口にダムができたことによって、今まで谷底を真っ直ぐに通っていた一本道が、湖の岸まであげられたために、波型に曲がり、かつての長さの二倍ちかくに伸びていたことである。大杉峡谷の最初の滝である千尋滝《せんぴろ》まで二時間と考えたスケジュールはまずくずれ、そこからさらに谷に入ると、私の確信にみちた判断が見事に覆えった。

期待どおりであったのは、この峡谷が水成岩質の暗い直立の両岸をもっていることであった。火山岩質とちがい、手に触れる岩のかけらをよく見ると、やはり砂岩である。少しゆくと粘板岩、泥板岩《でいばんがん》と思われるものもある。おそらくこれなら石灰岩もあるにちがいない。そういえばまだ見ぬ大台ヶ原山の頂ではあるが、あの頂の南に露出する大蛇嵓《だいじゃぐら》という一枚岩は硬砂岩だと聞いた。だから、この大杉谷でも、花崗岩質の堅い岩石とちがって露岩の美しいものがほとんどないことは想像どおりであった。だが、千尋滝が、見上げるばかりの高さの露岩から、ダルマが汗をかいたように数条の滝を落としているのには眼を見張った。こんな立派な露岩があったのか、少なくともそれは一般の滝の落下形式とはちがっていた。

滝のかかるその対岸の岩に手を触れることはできない。しかし、おそらくそれは堅い砂岩と私はみた。そして水成岩でできた渓谷もけっして火成岩質のものにおとらな

大杉谷に架かる吊橋

いと、私はこの谷に代わってはげましてやりたい気持ちにさえなった。

滝を見上げる脚下はといえば、直立の壁にちかい渓谷の左岸である。そして、私が遅々としてすすまない理由もこの谷がすべて桟道の連続だからであった。つまり、この谷では上高地や、他のひろい渓谷のように川原に沿う道がつくれず、一昔前の黒部峡谷を想わせるスリルを強要される。ここでは風景鑑賞と、前進行為は完全に別個にして行なわねばならない。バランスが崩れれば、青く澄んだ眼下の雪解け水へ落ちこむからである。

昼ちかくになると、地図で算定した予定時間がすでに二時間はくるっている。指導標だけが人間を恋わせるが、この初夏の季節に人はいない。千尋滝の前に架かる黒塗りのしゃれた吊橋がたったひとりの旅人のためにも大袈裟に揺れる。

吊橋の下は、握ればさらさらと指から落ちる白い砂岩である。その砂岩がふしぎと、水を濁らせない。私が口をつけて水を含んでも、汗にまみれた顔を洗っても、少しも濁らない。

考えてみれば、近畿地方は不思議と地質がはっきりと、南から北へ分類できるところだ。紀伊山脈の北方には、生駒《いこま》山のように花崗岩の山があるが、南半分に花崗岩のような火山系の岩はない。南半部の紀伊山地では、帯状に北から古生層、次が中生層、

巨大な千尋滝を仰ぎ見る

そして第三紀層と分けられ、熊野灘《くまのなだ》に面した海岸線の一帯だけに、橋杭岩や鬼ヶ城のような石英粗面岩がみられて、その区画は実に整然としている。この大杉谷あたりは大きな岩だけが火山性の石英粗面岩で、滝はそうした堅い岩石から落ちているのである。それは、やはり、純白で大柄な塊をみせる花崗岩の渓谷とちがって、樹木も育つだけに暗い。しかし、その暗さのなかではじめて大杉谷と呼ばれるこの谷の昔の姿が想われた。

この峡谷の終わるところがあの大台ヶ原だとすれば、その山はすでに古くから熊野詣《もう》での信仰の山として登られている。そして、いま歩くこの道が東側から唯一の登路であろうに、どうして、今までひらけなかったのだろう。熊野詣では、すでに、今から一三〇〇年前、役《えん》ノ行者《ぎょうじゃ》がひらいてからはじまっている。大峰山が今なおその女人禁制を解かず、ヴェールをぬがずに山岳信仰をあつめているのをみても、昔からいわれる「伊勢に七度、熊野に三度」というセリフを考えてみても、この大峰山脈への道は、当然伊勢とむすばれていたはずであろう。だが、調べてみると、大峰山と熊野詣でをむすぶコースは、昔から京阪から和歌山を経由する熊野街道か、伊勢から海辺を伝わる東熊野街道が利用され、北から入る場合でも入之波《しおのは》の温泉から大台辻《つじ》に出るのが唯一の道であったのである。

大杉谷がこの一帯における暗黒地帯であったことは、地図がごく最近まで正確さを欠いていたことでも、納得できた。現に、いま歩く私の周囲も美しい自然林である。しかもはっきりと、その樹相が高さと比例して変わってゆくのがわかる。ニコニコ滝のあたりはまだ海抜五〇〇メートルしかないが、ここではほとんどが常緑の濶葉樹である。この谷がほこる温帯林である。そして、海抜一〇〇〇メートルを越すと、あたりはモミやツガの針葉樹に変わるはずである。「木の国」を「紀の国」と変えたセンスは間違っていなかったというべきである。「吉野杉」の見事さということをかねてから耳にしていたが、この大杉谷こそその宝庫にちがいない。そしてこの谷が瀬戸内海に較べて約三倍の雨量をもつことが、樹々をそだてたというべきであろう。宿の娘は言った。「お盆前のザンザ降りというんですよ」と。夏休みも八月に入るともう毎日雨がつづく。そして、お客といえば、脚に自信のありそうな若者たちだけが、大台ヶ原山へ登った帰りに、一夜を明かしてゆくと、彼女は語った。この大杉峡谷を下から登ろうという人はまずいないと言った。だが、それだけに、この難儀な桟道を登ろうという私を、彼女は力強くはげましてくれたのだろう。

滝はざっと十余りを数える。その一つには、かつて人間の頭が浮き沈みしている、というので危険を冒して救いあげてみたら、それが三十貫もある大熊だったというエピソードのある滝壺もあった。ここでは人間ばかりか、熊でさえ一命を失うのである。暗い谷間で滝の現われるごとに、そんな情景を空想してたのしんでいた。そして宿の娘が予期したとおり、予定の帰着時間にすっかりおくれた。

月光に照らされて、疲れた足をはこんだ。宿へ着いたときは九時半であった。宿の主人は心配して、私を探しに途中まで迎えに来てくれたそうである。その親切心に私は感謝した。想うに、ここでは人間が熊よりも自然の脅威をつねに身近に感じて生きてきたのであろう。二十世紀後半の今日でも沈黙をつづけるおそろしい自然は、人間を謙虚にする。その気持ちを秘めて、改めて私は宿の主人に礼を言った。

初出：『旅』一九五七（昭和三二）年六月号

アスパラガスを生む羊蹄山麓

——地場産業の創出——

1

胆振《いぶり》線は北海道南部のみじかいローカル線である。それはほとんど旅行者には縁のないおき忘れられたような支線である。北海道を一周して旅をするという人にも、この道南の鉄道は利用されることがない。端的にいえばその沿線にはなにも見るべき対象地がないからである。

しかし、私が阿寒よりも、大雪山よりも、心を惹《ひ》かれて訪れた山間の町のひとつはこの羊蹄《ようてい》山の見える胆振線のかたわらにあった。そういえば、人は、有島武郎《ありしまたけお》の『カインの末裔《まつえい》』という小説を想い出すかもしれない。たしかに、あの小説の舞台は羊蹄山麓の一隅《いちぐう》である。そこでは仁右衛門とよばれる貧しい小作人農夫が主人公であったが、私が見たかったのは、富士山に似た円錐《えんすい》型の姿美しいこの火山のふもとで行なわれているアスパラガスの栽培生活であった。そこは、日本に数少ないアスパラガスの耕作地である。その品質は東洋一とさえいわれている。つまり、私は、そんな日本では常食にされそうもない、少なくとも日本人の庶民の食卓には現われることの少ない、西欧でのみ珍重《ちんちょう》されるこの植物のふるさとに、つよく心を惹かれたのだといっていい。

その中心地が胆振線のなかほどにある喜茂別《きもべつ》である。その名は少しも美しくひびかないが、アイヌ語でいう「山奥の川《キム・オ・ベツ》」の転化だときけば、その町の地形も充分想像できようというものである。その地名の語るとおり、そこは、一昔前までは、まったくの山奥、もちろん鉄道もひかれない山間部の一隅、長流川《おさるがわ》の上流の寒村にすぎなかったのである。

今でこそ、この喜茂別は、地図で見るとわかるように、一つの峠——中山峠を越えれば、札幌の奥座敷ともいうべき有名な定山渓《じょうざんけい》の温泉に通じる。つまり、地理的には札幌の町と、バスでつながる表裏の関係にあり、けっして、それほど不便なところではない。ただ、今なお、人はこんな小さな胆振線沿いの町へ、わざわざ降りてみることはない。毎年、初夏になれば、このところ、洞爺湖《とうや》や登別ゆきの観光客を満載したバスが、この町を通って、丘のかなたへ消えてゆくが、その車に乗せられた旅行者の方は、物見高い気持ちをもちながら、色彩も姿も高山植物のように華やかでないアス

N
0
20km
函館本線
小樽
札幌
旭川へ
千歳へ
定山渓
岩内
無意根山
倶知安
京極
脇方
ニセコアンヌプリ
中山峠
羊蹄山
昆布
狩太
喜茂別
胆振線
支笏湖
長万部へ
向洞爺
洞爺湖
室蘭本線
北湯沢
洞爺
弁景
長万部へ
噴火湾
伊達紋別
登別
室蘭へ

パラガスの畑などに目を向けようとはしないのである。

ときたま、二輛連結ののろい列車が現われては、また消えてゆく。バスは一路、洞爺湖へ走り去ってゆく。そのあとには、いつでも、あの富士山をそのままちぢめてみせたような姿美しい羊蹄山が残るだけである。そのとき、しんと静まったこの火山灰地の一隅で、雪解けの水がさらさらと聞こえはじめ、むっくりと畑の中から若い娘の身体がのぞき、みずみずしいアスパラガスの茎をしっかりと握った彼女等は、汽車の残した「孤独」の情にひたりながら、「いつ、このアスパラガスは、海を渡って欧州へ送られてゆくのかしら」と半ば不安な表情で、遠い汽笛を聞くのである。

しかし、このアスパラガスは、そんな娘たちの杞憂《きゆう》を超えて、美しい缶詰姿となって、はるばると海を渡って、欧州へ着き、西洋人の食卓で、あるいは盛り場のバーで、色あざやかなレッテルを見せながら、異国の人々に賞味されるのである。

日本の商品の多くが、肩身のせまい思いをしながら異国へ旅してゆく今日、このアスパラガスだけは一応ダンピングの憂目も見ずに、海を渡るのである。しかも、今では、この喜茂別産のアスパラガスといえば、堂々と国際市場でなんらの劣等感ももたずに取引される。胆振線の名は忘れられていても、この「クレードル」と名づけた喜茂別産のアスパラガスのトレード・マークだけは、「揺藍《クレードル》の地」の名そのままに羊蹄山麓が産む貴重な食品として西欧の業者に正当に理解されているのである。

だが、私は喜茂別を訪れて、そんな世界的水準まで達したこの植物の育成に、なみなみならぬ過去の苦労のあったことを知った。

パイオニアは誰しも、産みの苦しみをする。アスパラガスの場合も、けっして例外ではなかった。まして、日本では誰もまだ手がけたことのない異国的植物である。過去にさかのぼれば、それを最初に手がけようと果敢な試みを企てたのは、この羊蹄山麓というより、ここから少しはなれた日本海岸の岩内《いわない》の町に住む下田喜久三氏だったといわれる。彼は独創的な企業家精神をもっていたというべきであろう。

もちろん、彼とても、当初は暗中模索という形から出発した。北海道に開拓使がおかれて、内地人が徐々にこの新しい北の天地へ生活を開始したころのことである。原生林を切り拓くことがまず大事業であった当時を考えてみれば、たとえ耕地化ができても、この寒冷な風土のもとで、一体どういう農作物が適するか、それは皆目見当がつかなかったわけである。今でこそ、この羊蹄山麓一帯は、緬羊《めんよう》の飼育が最適といわれるが、あの開拓期当初は、まず、ここが道内随一の深雪地帯であることすらわからなかったはずである。人はそこに住んでみてはじめて、気象の周期を体得したのである。人は、無駄と知りつつ、種子をまいてみて、はじめてその適不適を漠然と知ったのである。つい最近まで、農民というものは、体験主義的な生き方しかできなかったのである。この雪が多いという事実を知ったあとに、ひきだされた結論があるとすれば、それはこの胆振線の沿線では、昼夜の気温の差がはげしいということであった。そして、こうしたいくつかの事実を総合的に体得したことから、やっとこの風土に適するものが、豆類ではなくて、馬鈴薯《ばれいしょ》や、ビート、アマ、そして麦の類だとわかったのである。

だから、結果としては、パイオニアともいうべき下田氏にせよ、その最初の時期にあっては、あの西北季節風のはげしい日本海沿岸の斜面地で、なにを植えたらよいのか、困惑したことはいうまでもない。まず、グリーン・ピース、次いで野生筍《たけのこ》、そして、アスパラガスを試作した。だが、ここで早くも彼はこの新食品の栽培に成功したわけではない。

たしかに、アスパラガスは、冷害に耐えるつよい力をもっていた。これはひとつの大切な条件であった。しかし、この植物は、ネギやキャベツのように、生のままでそのまま近くの消費都市へ送って商品化されるものではない。少なくとも日本では、まだ正当に評価されない異国的食品である。どうしても、外国へ輸出しなければならぬ。──そのためには缶詰にしなければならぬ、そう考えたとき、彼は原料がすぐ加工できるよう、アスパラガスの栽培地のすぐ傍に缶詰工場をつくることを思いついたのである。

しかし、それもアイデアだけに終わった。というのも、いくら冷害につよい植物ではあっても、シベリアからの寒風が容赦なく吹きつける岩内の町では、アスパラガスは大量生産できなかった。彼はそのとき、はじめて、この植物の正体を見抜こうと意気ごんだのである。

2

私の年来の火山山麓生活の研究の上で、この胆振線の一隅は、ぜひ一度自分の眼でしっかりと見たいもののひとつであった。そこは内地の大火山の山麓のように、けっして熔岩や火山弾が地表をおおっているような大地ではない。地図で見てもわかるように、ここは浅間《あさま》山麓や阿蘇の火口原のように高地でもない。海抜からいえば約二〇〇メートル、本州ならばまず高冷地農業地帯というほどのところではない。しかし私にとっては、土壌と気象条件よりも、この羊蹄山麓を地図で見たとき、興味をひいたのは、「水」が豊富であるか、どうかということであった。火山山麓や火山灰地に通有な欠陥は、水の乏しいことである。いや、ほとんどの火山山麓では火山活動がはげしければ、はげしいほど湧水がないことである。現に、八ヶ岳の東麓や浅間山麓ばかりでなく、伊豆半島という一見、ユートピアのごとく想われる伊東の温泉の郊外にある先原《さきばら》熔岩台地の生活も、やはり開拓民にとって、決定的に水のないことが絶望におとしいれていた。私はそこで、戦後入植したという開拓民の組合長に直接会って、水のない嘆きを聞いた。この国際的観光地ともいうべき伊豆半島の入口にも、こんな苦労にみちた生活があったのか、と私はつぶさに水の苦労噺を聞いたが、彼等の場合は、隣村に湧く唯一の泉まで毎日バケツを持って、一里の道を水運びに出かけたのである。そんな水との因縁を私は方々で聞いているだけに、この羊蹄山麓に来て、水の苦労のないことを心から祝福した。

だいたい、この胆振線沿線はほとんど羊蹄山麓というべきであろうが、この火山は、幸いに噴火に際して、それほど熔岩を流していない。火山灰のおおっている大地の層はうすく、しかも胆振線側の東麓一帯の高原は、洪積層であった。そして、ここでは火山山麓の条件を、結果的には、逆に利用して、こうした耕地化に成功したのだといってもよかった。

そこには、本州人がしばしばもち合わせていない開拓民なればこそのひとつのパイオニア精神が作用していた。この胆振線沿線には、今でこそ、北湯沢や蟠《ばん》渓などという温泉街までできているものの、明治初期には鉄道ももちろんなく、内地人が目をつけるほどの魅力は少しもなかった原野である。そこへ果敢にも入植して定住したのが、本州でももっとも進取の気性にとんだ奥州伊達藩の人々であったということが特筆されるべきであろう。その証拠には、胆振線の南の終着駅は、「伊達紋別《だてもんべつ》」と名づけられているが、ここそ仙台塩釜から海を渡って直行できる函館に次ぐ港街として、その当時から栄えていたのである。だから、この沿線にはすべて伊達藩の血をひく人々が定着し、現在アスパラガスを生業としている人々も、ほとんどはこの伊達の血筋をひく闘志にあふれた開拓者ばかりだといっていいのである。それゆえに、ここに同じ道産子《どさんこ》たちが驚くほどの絢爛《けんらん》たるアスパラガスの耕地が実をむすんだ、ともいえる。

その開拓の初期ともいうべき、大正末期には、ここはまだアスパラガスの畑ではなく、一面盆地をいろどるのは五百町歩にわたって咲きみだれる除虫菊の白花だった。その当時、まだD・D・Tという外国産の科学駆虫剤はなく、この谷間はこの花によって生きていた。そして、それはすばらしい財源であった。しかし、もともと、ニシンの大漁を一攫千金《いっかくせんきん》の商売と感知してはるばる本州から渡ってきた気性の持主ばかりである。除虫菊の栽培に永くは満足していなかった。岩内に住む下田氏がアスパラガスなる新植物を試みているという話を、さっそく伝え聞いてきたのが、喜茂別の佐藤恒男であった。そして、たちまち秋苗百株をこの羊蹄山麓へ試作しはじめたのである。

羊蹄山の姿を地図で想像したとき、私はこの火山の噴出形態から推して、おそらく火山山麓に通有な酸性土壌と考えた。なぜならこの山の形は浅間山を小さくしたようなものであり、活火山でこそないが、地質史上では新しいもので、あきらかに沖積期の初めごろか、後氷期の終わりごろに噴出したものと考えられる。北大の湊正雄《みなとまさお》教授が言うように、北海道の山々には、摩周湖だけでなく、水を湛えていないカルデラ(鍋型)火口の地形は方々に残存している。大雪山も、あきらかにカルデラの形跡を残している火山のひとつである。そうした事実からみても、この羊蹄山の東の盆地は、典型的な火山の噴出物で深くおおわれているのではないか、と臆測したのである。

しかし、事実はちがっていた。火山灰は少なく、喜茂別一帯は、潜在的にカリ分に富んでいたのである。そして、アスパラガスという植物は、このカリ分を充分に吸収して育つ性質をもっていたのである。

一般に、酸性土壌ならば、あの九州阿蘇山の火口壁内ぐらいのひろさと水利に恵まれなければ水田地帯として手なずけることは不可能である。それでも冬の間、十日も半月も畑に水を入れて湛えて、土の改良に必死にならなければ活路はひらけなかったのである。まして、こうした北辺の高緯度地帯では、水田化は非常な困難をともなう。火山灰地は例外なく、石灰が欠けていて、酸性のつよい土壌は堆肥と燐酸をたっぷり供給してやらなければ、どうにも収穫は望めないのである。しかも、大麦やホーレン草、大豆、小豆などは酸性土壌には不適なものといわれているだけに、私はこの羊蹄山麓の土壌の佳さに、大きなおどろきを感じたのである。

さらに、この土壌が、十勝や北見地方のように凍らないことを知って、アスパラガスの栽培に敢然といどんだその人々の決意に、新たな敬意すら抱いたのである。

なぜなら、アスパラガスは、なんといっても、日本で需要される食品ではない。どうしても海外へ輸出しなければ売れない。いくら日本が文化国家になろうと、アスパラガスが庶民の日常の食卓に登場することはまずあるまい。高価であるばかりか、その国に昔からつたわる味覚を急激に変えさせることはできない。味噌汁と香の物を最上とする日本人の舌に、アスパラガスを侵入させることはむずかしい。それだけに、いざ栽培という段になって、この西欧的食品の潤滑な販売に、一抹の不安をおぼえた村人の気持ちは充分に理解できるのである。

しかし、パイオニアというものに、ある冒険がともなうのは世の常である。私は羊蹄山麓に立って、四囲を見まわしたときに、アスパラガスとともに、あの有島武郎の挑んだ「北海道」がここであったことを想い浮かべた。文学者としての彼の名はすでに古いが、若くして自殺したこの情熱的な作家の求めようとした生活態度を改めて考えるのには、ここは絶好の風土であった。

彼は北大の前身である札幌農学校を青春の生活地にえらび、私有財産をもつことにひとつの罪悪感を感じるほどの純粋さをもっていたために、父が彼のために求めてくれたこの羊蹄山麓の開墾地に対しても批判的だった。それは北海道開拓の歴史上、ひとつの大きな問題を投げかけている。

彼は小説『親子』のなかでこの羊蹄山麓の夏景色を描いたが、『カインの末裔』では、貧しい新参者の農夫が味わった冬のつらさを次のように綴っている。

「自然に刃向ふ必死な争闘の幕は開かれた。

鼻歌も歌はずに、汗を肥料のやうに畑の上に滴らしながら、農夫は腰を二つに折つて地面に嚙りついた。耕馬は首を下げられるだけ下げて、乾き切らない土の中に脚を深く踏みこみながら絶えず尻尾で虻《あぶ》を追つた。……

冬は遠慮なく進んで行つた。見渡す大空が先づ雪に埋められたやうに何処から何処まで真白になった。人間の哀れな敗残の跡を物語る畑も、勝ちほこつた自然の領土である森林も等しなみに雪の下に埋れて行った」

そして、今、私が訪れた羊蹄山麓も、この描写とまったく同じ白一色の冷たい雪の中に埋もれている。私はその雪が吹雪に変わったのも承知の上で、この風土を知ってみたい気持ちに駆られて、アスパラガスの工場へむかった。

駅から少し歩くと原野の中に見えはじめるこの工場は、まるで無人の館のようなしずかさだったが、事務所の中のストーブは暖かく、敏捷《びんしょう》にはたらくサラリーマンたちがいた。サラリーマンとはいっても、彼等はかつて初期開拓民の血をそのまま受け継いでいる。冬の寒さにはめげぬ生活力があふれていた。

私はそこで、このアスパラガスの育生の過去を聞いた。熱心に語るひとりの青年をともなって、私は雪におおわれたアスパラガスの広々とした耕作地の前へ立った。初夏の羊蹄山麓の牧歌的なひとときを想い、現実には苦闘の一語に尽きるこの食品の育成の努力を聞いた。

やはり、この西欧的植物の栽培にあたっては、大きな波紋が渦まいたのである。除虫菊を栽培していた人々の前にこの新しい植物が差し出されたとき、投機的な開拓民たちの野心を揺るがしたものは、このアスパラガスが植えてから育つまでの三年のあいだ収穫ができない、という一事であった。昭和十年ごろといえば、日本全体がなにか新しい生活の活路を求めていた時期だったとはいえ、投資してから三年間は金にならないこの見通し不安定な高級食品を大規模に耕作することは、誰しも危険にみちた冒険と感じたのである。

しかし、伊達藩の血筋をひくこの胆振線の谷間の人々は、やがて敢然と、このアスパラガスと取り組んだ。

地下水位のひくい羊蹄山麓は、まず一丈も伸びるこの植物の根の生長にまったく好都合だったばかりか、潜在的にカリ分をふくんだ土壌は地下根をぐんぐん太らせた。南面した傾斜地の多いこの谷間の地形が他地より深い根雪を、一足早く解かし、雪解けの早いことが株を凍結から防いでくれた。そして、なによりも好条件であることは、かつての初栽培地岩内とちがって、ひろやかな高原地帯に缶詰工場がすぐ建てられたことであり、この直結加工場のお蔭で、三時間たてば急激に鮮度の落ちるアスパラガスの欠陥が全面的に救われたのである。

というのも、現在では、この胆振線の谷間以外に、夕張平野の一隅である栗田でもアスパラガスの栽培は試みられているが、まったく小規模だ。やはり、過去における早期の果敢な決意とそれにつづく努力が今日の繁栄をきずいている。

それにしても、私はいつも、日本の農産物加工業のつらさをしみじみと思う。このアスパラガスに目をつけ、それを立派に自家薬籠中《じかやくろうちゅう》のものとした人々の努力は涙ぐましかったが、やはり同時に悩みは農産物の販売面にひそんでいたからである。直結した缶詰工場をつくらざるを得なかったのも、アスパラガスの栽培者とその加工者が別々であっては、利潤の完全追求が阻害されたからである。

一般的にみても、日本の農産加工業は、そのコストの大部分が原料で占められている。外国に輸出される農作物であり、少しでも安く海外市場へ出すためには、原料価格の引下げがまず第一条件であり、原料価格の引下げができなければ、つねに資本主義的利潤追求の原則にしたがって加工者に儲けられてしまうからである。こうした事情から、必然的に原料の栽培者は同時に、その加工者でなければ損であることがわかり、缶詰工場が耕作地のすぐ傍に建てられたのである。労働によって得られた利潤が農民自身の手元にたくわえられて、再生産されるためには、こうした手段が必要だったのである。

しかし、それでも現在なお、アスパラガスを耕作する農民たちに不満はある。彼等にとっては三年の生産準備期間が大きな犠牲なのである。

「たとえば、種子馬鈴薯ならば、単価六百五十円としても、反当たり二万円にはなる。アスパラガスはそれ以上でなければ……」

アスパラガスは手間を喰うわりに、利潤が思ったほど高額にはならない、と訴えるのも、この二、三年、反当たり二万円を割ることが、しばしばあったからであろう。だが、栽培者側である農民たちが、こう訴えれば、工場側にも言い分はある。「北海道農村加工協同組合」という進歩的な組織でつくられるこの西欧的食品がけっきょくは、もっとも資本主義的な存在である東京の大デパートの食料品売場に販路を求めなければ、国内にいる諸外国人に売ることができないという悩みである。百貨店への売り込みに、工場の人々は異常な努力をしている。ここにも、工場側と農民側の苦労の質的な差異が秘められている。

私はふたたび胆振線の客となって、夕暮の羊蹄山をふりかえるときに、考えていた。左派社会党支持の農民がもっとも多く、選挙の出足も日本一というこの胆振の谷間でつくられるアスパラガスの缶詰も、競争のはげしい資本主義の檜舞台《ひのきぶたい》で売られてゆくということ、それは今日の日本のいつわらざる現実を物語っているように思えたのである。

初出：『旅』一九五五（昭和三〇）年六月号

湯

中宮温泉の二夜
――白山山麓の動物譚――

1

登山がさかんな世の中になったが、一方では戦前よりも人影の少ない山がある。たとえば、信仰の対象となってきた山々である。ふもとの村民たちに、朝な夕な仰ぎ見られ、雪解けと晩秋の季節にかならず祈りをささげられてきた山々がある。典型は東北地方の出羽《でわ》三山、西日本では、紀伊山中の大峯山、この二つは、いわゆる修験道《しゅげんどう》の双璧《そうへき》である。月山《がっさん》などは今でこそスキーヤーがゆき、比叡《ひえい》山も最近はドライブウェイをつくって、観光に看板を塗り変えた観があるが、ひろい日本ではまだまだふもとの地方民だけから親しまれ、都会人などは話題にしない山々の方が多い。

近代になって、西欧の思想が移入されてから、山はまるで人間が登るためにそびえているかのように錯覚されているが、日本では最初から、山は、生活を繁栄させてく

中宮温泉の宿。この奥が蛇谷になる

れる祈りの対象であった。一種の「神」として考えられてきた。

日本では「登山家」の原型は、修験道の「山伏」だといってもいい。最初、これも仏教の信仰から起こり、やがて神道と混り合って、「山伏」という特殊なものが生まれた。いずれにせよ、真言宗と天台宗が思想の基盤となっている。

「富士講《こう》」「御嶽講《おんたけ》」のような「講」の対象となった山も同様である。「講」といっても、二つあった。教祖が教団の拡張のためにつくった組織と、神道的な色彩の濃い集団登山である。これには金毘羅《こんぴら》信仰のような漁民の豊漁を祈るものもあったが、たいていは、やはり山岳信仰である。関東地方の北部から北陸にかけてみられる「十二講」などは、山の神が対象だ。

考えてみると、日本は海にかこまれていながら、山国で、山に「神」が求められた。ヨーロッパのように近代に入って急にアルピニズムが起こったのではない。昔から白装束の行者たちがひそかに登っていた山はたくさんある。

ちょっと想い出すだけでも、全国に十はあろうか。北関東の古峯《こぶ》ヶ原、東北の飯豊《いいで》山、信州の戸隠《とがくし》、秩父の三峯《みつみね》、そして遠州の秋葉《あきは》山。いまでこそ若者たちはそんな過去の山の雰囲気は知らずに、夏になると白衣の行者を横目でにらみながら、テントを背負い、ハイキングと称して三々五々バスに揺られてゆくが、思うに、日本のなかで

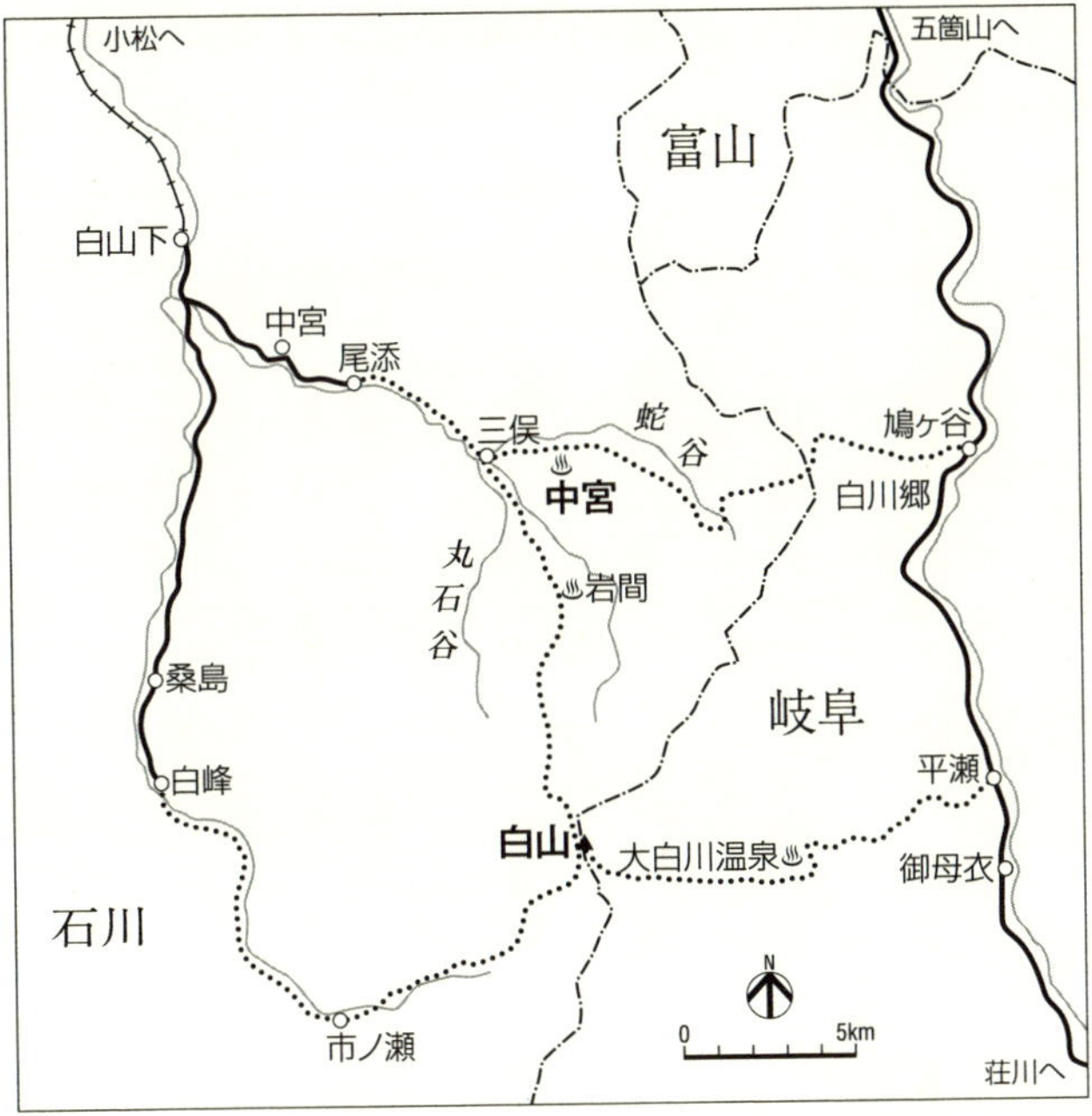

小松へ
五箇山へ
富山
白山下
中宮
尾添
三俣
蛇谷
中宮
鳩ヶ谷
白川郷
丸石谷
岩間
桑島
岐阜
白峰
平瀬
白山
大白川温泉
御母衣
石川
N
0
5km
市ノ瀬
荘川へ

も魅力ある山は、たいていこうした形で登られ、登山道がつくられてきたのである。

いま、私が語ろうとする加賀の白山《はくさん》も、北陸地方の一隅《いちぐう》にあって、かつては泰澄《たいちょう》上人《しょうにん》がひらいたといわれる。だから、ここも近代的センスを主張する都会の若者たちは軽蔑して登らない山のひとつだ。実際には、「講」の対象の山ではなく、白衣の行者たちは登らないが、なにか、白山と聞くと、古めかしい響きを受けるのだろう。たしかに、その存在が人に知られたのは古く、『万葉集』などにも登場している山である。

まだ日本の山がそれほど登られない時代でも、この三〇〇〇メートルにちかい高峰は、ひときわ目立つ存在だったのだろう。富士山、立山とともに、日本三名山のひとつだと知るとき、人は、地図もない時代の、人間の視野の狭さを笑うべきではない。

大都会から遠い日本海側の一隅にひっそりとそびえていたせいもあろう。かつては、「奥の細道」を歩いた帰りに、俳人芭蕉もこの山を遠望しているが、登る意志はなく去った。観光ブームの世の中が到来した今日でも、ふもとに十指に余る温泉をもつ加賀平野がひかえているので、こんな不便な山へ登ってまで楽しみを求める必要もないだろう。

雪国の一角に、まるで雪をささえるかのような形で立ち、冬はいち早く、名のとおり「白い山」に変わり、見れば、山肌は急である。ケーブル全盛、バス謳歌の現今に、こんな無骨な山が都会の若者たちに愛されるはずはない。

実はそんな、時代に超然とした姿がなんとなく気に入って、わざわざ訪れた私である。もっとも、私はこの山へ登山に来たのではない。登山者が入りこもうとしないこの山の北の谷間に二、三日を過ごしにやってきたのである。現在の正面登山道は市ノ瀬口だが、私が入ったのは、尾添《おぞ》と呼ぶ谷間である。

尾添はオゾと読み、加賀平野が山にぶつかる地点で終着駅となる電車を降りてから一〇キロほど奥である。登山のベストシーズンといえそうな夏なのに、そこに登山者の姿は見えなかった。オゾという発音は日本離れしていて、土地の人に聞けば、アイヌ語だといったが、この集落は今でも土葬を習いとしている孤立的な集落である。白山下という北陸鉄道の終着駅からこの尾添がひそむ深い谷を四里ほど分け入ると、中《ちゅう》宮《ぐう》という温泉がある。そこへ泊まって、白山のかくれた話を聞くのが目的であった。

登山ブームの今日では、メイン・ストリートを登っても、そこで何日か滞在しても、なかなかオリジナリティのある民話は聞けない。柳田国男のいう、「常民」つまり、生きた伝説を自ら行動にうつしている人々に会うことはできない。私はこの常民がいそうに思える一夜の宿をえらんだのだ。

中宮は白山の北麓で、一軒宿かと思えそうな温泉場を地図の上に見せていたからだ。名もよく、それがある地形もよい。この温泉は五万分の一の地図の「白川村」の左隅に出ていて、谷間とはいいながら、海から七〇〇メートルの高さを示している。岐阜との県境を越えると、真東の位置が、有名な合掌造りのある白川村鳩ヶ谷である。しかし、この温泉はゆき止まりの地形で、山道を少しゆくと、深い谷にはばまれて消えてしまう。といって、中宮は白山登山道の途中にあるのではない。登山者が一夜を明かすことはほとんどない。レールでいえば、退避線で、客は湯治客ばかりで、山へ登る支度をした若者などは見当たらない。

かつて、金沢の方から白山へ直接登ろうとした人々も、この温泉を通る必要はなかったのである。

平安時代にすでにひらかれていたという白山街道は、尾添の集落からすぐ谷を離れて、ハライ川にそってさかのぼって頂に達している。それがいまではほとんど廃道だ。時代による変貌は別の意味で、目を見張らせるものがあった。つまり、このかつてのメイン・ストリートには、二十世紀後半になっても、バスが走っていないことであった。温泉が目的地ならばバスは当然定期に運転されていると期待したのはあやまりであった。

「白山下」という名の駅が、白山の下ではないという新たな事実も確認した。白山下から白山まではバスに二時間乗って、さらに一泊を余儀なくされる遠さなのだ。

尾添の谷をゆく道にバスが走っていないのは当然ともいえた。第一、金沢で旅行通に聞いても、この谷間の様子はわからなかった。結局、乗物は、はげちょろけた中古のフォード一台であった。いまどきフォードという乗用車を目にするのも珍しい。

白山下の駅前では、「中宮へいらっしゃる方はこちらへ」と呼びかける中年の男がいた。その男がハイヤーの運転手であると気がつくまでには、旅なれた私にもかなりの時間がかかった。

当然、バスの姿を期待していたせいもある。温泉が今や観光のドル箱である以上、バスが通わぬことはあるまい、ときめてかかっていたせいもある。しかし、北陸という温泉の宝庫では、中宮などという山深い湯治場は、観光の圏外にあったのだと改めて知った。

走ると上下に揺れ、呼吸困難を訴える廃物同様のフォードは、私と一緒に電車を降りた八人を乗せて、みどり濃い谷間の底を走った。と書けば、旅情ゆたかだが、さして大型でないフォードに、八人の客がどのようにして乗ったかは、説明に値する。

唯一の都会人と他人の眼に映った私は、客席に乗ったが、大きな風呂敷包を背負った村の婦人は後部の客席に足を突込み、上半身を窓から出したまま発車した。三十に満たぬと思える村の青年二人は、ドアを閉めて、外側で足を踏まえて、窓枠につかまって、曲芸師のような格好で風を切った。

運転手のかたわらには、肥った中年の湯治客が二人座って、ハンドルは不自由な手つきで動かされた。それでも、運転手はおどろかなかった。聞けば、これが一日二回定期的に往復する唯一の乗物であった。約三十分ほど走りつづけたあと、尾添の川が三つに分かれる地点で降ろされると、ちゃんと運賃は要求された。ハイヤーはそこに待っていた湯治帰りの客を乗せて、ふたたび戻る仕組になっていた。

中宮はその三俣と呼ばれる谷間から「蛇谷」と呼ばれる深い谷底を伝って三十分ほどの奥にあった。

2

宿は四軒並んで、背後は急な山にささえられ、前が蛇谷である。宿は藁葺《わらぶき》ではなくて、一見頑丈である。藁葺では屋根がとりはずしできないからだ。ここは日本でも豪雪地帯、冬は丈余の雪にうもれるから、秋が終わると、人は山を下りる。もちろん、この宿も無人になる。無人にする前に、屋根をそっくりはずして、冬は雪が思う存分たまるようにしておく。蒲団《ふとん》、障子その他の調度品をすべて運び出してしまえば、あとは雪のなすままにまかせる。そうしないと、雪が屋根をつぶす。こういう仕掛けの温泉は、日本海側の深雪地帯には他にもある。越後境の飯豊山の山麓にある温泉もそうだし、雪国では雪に抵抗することの愚劣さを知って考えたものである。

雪に耐える必要から、柱も太い。黒びかりした柱が宿の歴史を示すように煤《すす》けている。宿は「何々館」というような当世風な呼び名はもたず、四棟並んだのを、「宮村」「木戸」「西山」「山田」と所有者の姓で呼ぶ。共同便所が四棟の庭先の前に二つあって、夜は不便だが、不潔さはない。

夜が不便だといったのは、ランプの灯しかないからだ。十一月一杯で営業は終了というだけあって、秋の陽は早く暮れ、夜になると、二階の座敷で湯治客同士の雑談が毎夜のようにはじまる。週刊誌をもっている人はいても、暗くて本は読めないのである。仕方なく金沢の話、秋の収穫の話、それが終わると、きまって、この温泉の効き目が話題となる。毎夜がその繰り返しだ。

そんな夜を、二、三日過ごしていると、柳田国男のいう「常民」の話が豊富に聞ける。そして、この温泉ほど、山の動物譚のたのしいところはなかった。ずいぶん、こうした山奥へ行ったが、ここにはいまだに、いわゆる当世はやりのダムもつくられず、バスも通わず、登山者も泊まろうとしない山奥だっただけに、他地では聞くことのできない、さまざまな「山噺《ばなし》」があった。民俗学では「比較研究法」を重んじるが、ここで聞いた動物譚は、記録に値する。

やはり、歩いて、実話を採集しなければだめだ。「方言周圏論」を提出した柳田国男氏も、結局、氏自らが全国を自分の脚で歩いた結果、はじめて断言できたことにちがいない。日本ではたしかに、方言も円周を描いて分類できるものではない。遠方においてー致が見出され、近くにおいてちがっているのが実状だ。

とくに、ここでは、山に棲む動物たちについて、新しい話を聞くことができた。湯治客が、すべて「常民」であったためであろうか。

3

温泉宿の縁側からも眺められる眼の前の山は、地図にもはっきりと数百メートルの絶壁を描き出しているが、見上げるように高く急峻だ。一三九四メートルを示し、聞けば、猿ヶ浄土（浄土山）という名である。

秋深まったころ、この山肌を眺めていると、猿が群をなして跳びかうのが見える。一番いいのは十月二十七日ごろだという。

数えると、八十四にちかい野猿がこの絶壁を楽園として遊んでいる。温泉の下手にある堰堤のほとりまで下りてくることもある。猿ヶ浄土の名のとおりで、村人も湯治客も、この猿だけは絶対に獲らない。

だいたい、猿は日本の山中では、山の神の使者と考えられてきたのである。海を相手に生きる漁民たちは、逆に猿という動物を嫌って、エテコウと呼んできたが、山民は山のオヤジと呼んだり、「三猿」の像を信仰の対象としたりして親しんできた。

猿はかならず群をなして移動する。この猿ヶ浄土でも同じだ。このあたりは人家も稀《まれ》だから、猿は人間を少しもこわがらない。

この猿ヶ浄土の真下にあるのが蛇谷である。蛇は火山脈が地下で強烈な活動をしているところにはいない。マムシにはだいぶ方々の山路で出会ったが、この中宮ぐらいの山の深さになると、蛇はかなり多い。名のとおり、蛇谷である。

雪が解けきらない早春、中宮へ宿の主たちが登ってこない季節、蛇どもは、冬眠から目を醒まして人間のいない湯へ身体を入れて、湯治としゃれている。蛇はこっそり人っ気のない湯をわが物顔にエンジョイしている。

そんなとき、四軒の宿の主人が不意に登ってきて、屋根をとりつけ、蒲団を入れて開業にとりかかると、蛇どもはおどろくのだ。逃げおくれたのは、たちまちつかまって蛇飯にされてしまう。

五月二十日から半月のあいだ、この中宮を訪れると、蛇飯が賞味できるのである。湯治の蛇の末路は気の毒だ。宿の人々と一番乗りの湯治客たちは、舌鼓《したつづみ》をうってこの風土食を喰べて、もう今年はこれで下痢《げり》はしないぞ、といってよろこび合うのである。

日本全国あちこちの温泉を歩いてみた感じでは温泉の最初の発見者はきまって動物であると知ったが、それは蛇、鶴、猿、熊、鹿、鳩、鷺《さぎ》などだったといえるようである。すべて傷を癒すために動物たちが自然に湧き出ている湯へひたりにくるところを人間が見て、温泉の位置を知ったというケースだが、九州では鶴が発見したので、「ユノツル」(湯の出)と名づけたところがある。同じ九州でも九重《くじゅう》山中の寒ノ地獄は冷泉で、猿が最初入っていたという伝えがあり、志賀高原には熊ノ湯がある。東北の鳴子温泉のとなりにも、蛇ノ湯というのがある。本州北端に近い酸ヶ湯は鹿湯の転化である。

柳田国男氏あたりが当然こうした観察はされていると思われるが、私なりの見聞では、日本の温泉の最初の発見者はこの七つの動物だと思うのである。

さて、この中宮でとくに面白く聞いたのは、ハチムジナの夜の訪問である。ハチムジナというのは、腹の皮をさらすと「八」の字型のマークが浮き出てくるムジナのことである。しかし、このあたりでハチムジナというのは、おそらく穴熊のことを指しているのではないかと思われた。

私が山に登るときに愛用している尻敷きの毛皮も実はこの穴熊である。雪国の農民たちがよく背中に入れてチョッキ代わりに使っているのもこの穴熊だ。私は津軽でそれを求めたが、雪国の穴熊は毛が厚くふさふさしていて防寒用としてはすぐれている。狸とムジナを混同している地方もかなりある。ムジナは狸より小さい。顔は似ているが、尾は狸ほど太くない。毛の色も似ているので区別しにくいところもあるが、やはり狸の同族だけあって、これも人間を化かす性質があるようだ。

化かすといっても、よく考えれば、やはり、人間の方が錯覚におちいるのだということがわかる。日本アルプスの雲表に建つ三俣小屋（三俣山荘）の主人、伊藤正一《しょういち》氏は、よく三〇〇〇メートルにちかい高みで、夜になると山小屋の戸を叩く動物のことを語って聞かせてくれたが、氏もこれの正体がはっきりしないという。しかし、話を聞けば、おそらくこれもハチムジナのいたずらにちがいない。三俣蓮華《れんげ》岳の小屋では、夏の夜ふけ、トントンと戸を叩く音を聞いたというが、中宮では、はっきり、こういう現象を、ハチムジナのさか立ちだと見抜いていた。

中宮の奥、岩間《いわま》の間歇泉《かんけつせん》にゆく途中には飯場が二、三あるが、そこに住む山男たちは、ハチムジナの利巧さをみとめた。

ハチムジナは夜になると、そっとトウキビをとりに現われるという。暗がりで息を殺して見ていると、トウキビに近づいたムジナはしばらく考えこんでから、パッと茎の先のトウキビの実に跳びついて、ポキンと尖端《せんたん》を折って跳び下りる。それからまたしばらく考えこんだ格好をして、やがて跳び上がる。なかなかリズミカルで、一見とぼけた風で、実は細心にあたりに気をくばっているということである。

このハチムジナに人間が一番恐怖を感じるのは、秋の雨の日だ。岩間の間歇泉の付近で川原に野営した人は、テントの外で「今晩は、今晩は」という声を聞いたそうである。人間が来たのかと思ってそっと覗《のぞ》いたら、ハチムジナだったそうである。見ると、ハチムジナは逆さになって前足で立ち、後足で音を立てている。耳をすますと「今晩は」ではなくて、「キヤァロー、キヤァロー」といった発音だという。

この岩間の間歇泉まで、翌日行ってみた。中宮から少し戻ると、中ノ川と丸石谷という二つの大きな谷の分かれるところが、白山への登山道で、そこから約二時間、深い谷間を見下ろしながら歩きつづけたあとに発見した間歇泉の存在は、さしておどろくに値しないほどのものであったが、その川原にハチムジナが現われる雨の夜のことを想うと、改めて、日本の山はまだまだ未開のよさを秘めていると、新たなよろこびにひたるのであった。

取材：一九五八（昭和三三）年

酸ヶ湯の三十年
——冬の秘話——

1

吹雪《ふぶき》の音がいくらか静まると、宿の一室でいろりを囲んでいた四人の耳は、つめたい戸外へ申し合わせたように、神経を集中させた。一月二日の夜は午後九時を過ぎていた。

四人のうちのひとりは、この酸《す》ヶ湯と呼ばれる、みちのくも最果てにちかい山の温泉宿の主人で、他の三人は、東京から偶然来宿してその夜を過ごしたスキーヤーたちである。

「まだ、山鳴りはやまんね」

と洩らした宿の主人の声には、いつもの張りがなかった。遭難事件は、すでに昨夜来はじまっていたのだ。

南八甲田・櫛ヶ峰付近の樹氷群

宿の主人、白戸さんは考えていた。「横山五郎」と宿帳に記した名前もおそらくは偽《いつわ》りであろう。住所も架空にちがいない。電報で両親を呼び寄せるすべもない。

いろりを囲む四人の男に共通した感情は、焦燥感と呼んでよかったろう。自称横山五郎が宿に戻らないと、同室の者が訴えたのは、昨夜も夕食どきを過ぎたころであった。酸ヶ湯は素朴な宿だ。スキー客はたいてい、いわゆる相部屋で、未知の者同士が一夜を共にするのだ。スキーを共にすることはほとんどない。横山五郎は、ひとりで青森の方から雪上車に乗ってふらりとやって来て、おそらくたったひとりで山へ入って消えたのだ。遭難と考えるほかはない。

昨日、一月元旦の朝、彼は都会者らしい顔つきで突然やって来て、日没ごろまで宿にすぐ近い湯坂のゲレンデでスキーを滑らせていた。ころんでいる状態が半分、少なくとも、あまりたのしそうなスキーとは見えなかった。おそらくスキーを履《は》いて、二、三度にしかならない程度の初心者と思われた。その彼が、どこへ行ったのか。アノラックから、リュックサック、そして靴まで同室の者たちから借りて出かけたのである。

無謀である。この無謀な青年を助けるために、いま、六人の男が吹雪の夜をおかして山をさまよっている。八甲田《はっこうだ》の主と呼ばれる三浦敬三の長男、三浦雄一郎をリーダーとして、スキーのベテランが五人。厳寒の吹雪をついて、遭難したと思われる彼

青森市内へ
雲谷
雲谷峠
萱野茶屋
陸軍遭難大銅像
前岳
田茂萢岳
(八甲田山)
赤倉岳
井戸岳
大岳
高田大岳
硫黄岳
酸ヶ湯
城ヶ倉渓谷
N
0
5km
谷地
猿倉
蔦温泉·十和田湖へ

をさがしている。一月の雪はやわらかい。スキーで八甲田山へ登るには不適だ。そんなことを横山五郎はおそらく、知らずに出かけたにちがいない。新雪は漆黒の闇夜の中で降り積もっている。スキーの板は深々と沈み、方角の判定さえむずかしい。八甲田山の地形は名のごとく八つの峰を丸く並べて、昼のさなかでも、山の姿を見違えやすい。高田大岳、井戸岳、そして、主峰大岳、酸ヶ湯の背後にある三つの峰は、まったく不思議なほど似た大きさと丸みをもって並んでいる。

九時。ついに横山五郎を発見できなかった一隊は、からだじゅうを雪まみれにして戻ってきた。

2

八甲田山がスキーヤーを呑み、非情な山として知られたのはすでに古い。有名な陸軍歩兵隊の雪中行軍中の遭難事件は歴史に残っている。それはまだ、スキーというものが普及しないころのことである。が、今はちがう。八甲田を愛して三十年、この山に限りない思慕を寄せている三浦敬三氏は、初老を過ぎてもなお健在だ。山はそれを知悉した者にとっては、けっして死の舞台ではない。

横山五郎の事件は、しかし、それだけで終わったのではなかった。翌日になって、事件は新たな展開をみせたのである。

翌日ふたたび早朝に出かけた捜索隊一行七名は、午後一時になっても、横山五郎を発見できなかった。

彼が目指したと思われる仙人岱《せんにんたい》ヒュッテ付近が昨日と同様、目標とされたが、八甲田大岳の頂上直下にちかいこの凹地は、優に海抜一〇〇〇メートルを越え、ふたたび夜を迎えた酸ヶ湯は想像できない吹雪の世界になっていた。

津軽の海から吹きあげる西北風が粉のような雪を、目に見えないほどの速度で闇の中へ送りこんでは積みあげていた。少しでも光源があれば、深い谷間が見とおせるはずの高みに立っても、眼をあけることができなかった。捜索隊員たちの防寒具の表面では雪が一瞬にして凍った。昨夜はほのかにたどれたシュプールがまったく消えて、闇の中ではアオモリトドマツの姿だけが妖怪のようにときどき行く手をはばんだ。

午後七時、おそらくその時刻と思われたころ、ついにもうひとつの山の悪魔がおそった。霧である。霧は人間を盲目にする。

「山鳴りだ」

その瞬間、白戸さんは自分の息子が、この二日目の捜索隊のひとりとしてリーダーの岩谷正雄と行を共にしていることをいまさらのように想い出していた。岩谷のことだ。安心していい。彼は八甲田のすみずみまで知っている。ちょっとした起伏からでも方向判定のできる男だ。岩谷正雄はきっと間もなくこの宿の戸を叩くにちがいない。

やがて、午後九時、期待どおり、岩谷正雄は雪まみれの姿を宿の近くの闇の中に浮かばせた。やはり戻ってきた。白戸さんは岩谷正雄のちからを見損ってはいなかった。

「直充君もそこまで来ているよ」

白戸さんは、息子の無事を聞いて安堵《あんど》した。岩谷正雄はまる一日にわたる彷徨の概況を堰を切ったように語った。横山五郎の姿は結局見つからなかった、と。

その報告は十五分つづいたろうか。しかし、その十五分あとに、ついに第二の遭難事件が展開した。長男、直充君はわずかな距離のあいだで、岩谷リーダーの後を追うことができなかったのだ。彼の遺体が発見されたのは翌日の午後であった。

偽名を使って雪の八甲田にさまよい出た横山五郎は春の雪解けちかいころ、八甲田大岳の北面の沢のなかに冷凍死体となって発見された。自称横山五郎が、本名石倉大典という一学生であったことを知ったとき、白戸さんは彼が最初から自殺を目的としていたのではないか、と疑ってみたが、白戸さんの心に、新たな感慨など浮かぶはずはなかった。彼は改めて、八甲田山という山の誘引力を知った。彼は、長男の死と交換に、新たな人生観をもったといってもよかった。

3

その年以来、青森と酸ヶ湯をむすぶ冬の唯一の交通機関である雪上車は姿を消した。雪上車という便利なものが出現したために、元旦でもスキーヤーが訪れるのだ、と知った白戸さんは、宿の収入ということは犠牲にしても、客を乗せて運ぶことはやめようと決意したのである。

横山五郎のような無謀な青年がまたふたたび現われることは望ましくなかった。一月の八甲田はまだスキーには適しない。このみちのくの北辺では三月になって雪が固まってはじめて快く滑ることができるのだ。

酸ヶ湯の冬はこうしてその年以来、完全に孤立した。大地の底から湧き出す熱湯が、周囲の雪を解かして、いくらかの茶褐色を見せたが、屋根は丈余の雪に埋れた。

不便なスキー場にとっては無二の乗物ともいうべき雪上車を捨てて、山中に孤立することの方をよしとした白戸さんの気持ちには、真冬の八甲田には客寄せをしたくない願いがこもっていたと解してよいだろう。

素人の不意の闖入《ちんにゅう》がひきおこす悲惨な結果は身に沁みた。それ以来、正月の酸ヶ湯には、本当にスキーのできる人しか行くことができなくなった。白戸さんは、二年ほど経ったある日、やっと、この素朴で不便な山の生活を冷静に客観視したような表情で、改めて過去から現在にわたる酸ヶ湯の物語を私に語って聞かせてくれた。

奥羽《おうう》山脈も、本州が津軽の海となって尽きようとする北端ちかくでは、山脈をおおう樹々の姿も色もちがう。本州の中央部、日本アルプスの頂で見るような植物が低い山にも育っている。八幡平《はちまんたい》の高原から、この八甲田山にかけて、アオモリトドマツが一面に樹海をつくっていることはすでに有名だ。

ある秋も深まった一日、私は十和田湖から八甲田山麓へ走るバスで紅葉の林を縫った。十和田湖も戦前とはすっかり変わり、休屋《やすみや》と呼ばれる湖畔の町並みの一隅《いちぐう》には高村光太郎作の「乙女の像」が据えられて、観光客がカメラの砲列をひき、そのなぎさではボート屋がうるさく気の弱そうな客に呼びかけては、静かであるべき湖の大気をやぶった。湖上を走る遊覧船も満員なら、博物館の横につけられた形の食堂も絵葉書を買う女学生の群で華やいでいた。

十和田は子ノ口《ねのくち》に渡りついて、はじめて少しばかり静寂になる。宇樽部《うたるべ》で一夜を明かすのがもっとも静かであろうと思われた。

子ノ口からはじまる有名な奥入瀬《おいらせ》の渓谷もバスの中から眺めるかぎりつまらない。蔦《つた》温泉も大町桂月《おおまちけいげつ》が死ぬほど愛してこの地に生を終えたという逸話でも知らないかぎり、ゆきずりの観光客の眼には、時代ずれした宿があるだけという印象であろう。

十和田湖のほとりから約三時間、いくら紅葉が美しいとバスガールがほめたたえても、揺られつづけた身体が疲労を眠気にかえてうとうとしはじめたころになって、八甲田山が姿を現わすのだから、この山もしばしば印象はうすいにちがいない。

実際は、登ってみるより、眺めてめでる山であり、眺めて倦《あ》きない姿の山である。名のごとく、八つの峰が椀《わん》を伏せた形で順々に隣り合わせ、すべてが富士山を小型にしたような姿で行く手の地平線をかざるのである。

酸ヶ湯はその山々が南へ裾野をひいて、海抜一〇二〇メートルの笠松峠まで低下して、ふたたび南側の山となって高まろうとする西方、城ヶ倉渓谷の刻む凹地の北辺にある。海面から八九〇メートル。青森という海辺の町から急に山上に登ったような高さにある山の温泉場である。酸ヶ湯とは「鹿湯」「鹿」を「スカ」と呼んだ青森方言に、現代風な文字を当てた、名のごとく硫黄臭の濃い山の湯である。

白戸さんは、この山の湯に生まれ、育った。人は移り、客の質も変わった。八甲田山もいつのまにか、国立公園となった。東北大学の高山植物研究所もできた。山を歩く人を案内する必要から、山歩きのガイドを職とする人も現われた。酸ヶ湯を訪れた人で、鹿内辰五郎という風変わりな男の名を知らないものはあるまい。彼は八甲田の歴史とともに生きてきた男である。

八甲田山は酸ヶ湯とともに時を経たといってよかったが、十和田湖とは別である。十和田湖とはあまりにも離れている。酸ヶ湯は酸ヶ湯であり、大町桂月が愛した蔦温泉ともちがう。

4

酸ヶ湯は、その昔、津軽藩の指定した湯治場として、限られた者のみがひそかに訪れたのである。温泉という開放的な社交場を利用して、他藩からの隠密や密使が入りこむことを警戒して、ここには一種の探偵を忍びこませていたのだ。

思うに、「鹿湯」から、「酸ヶ湯」などという極端な津軽方言の適用を露骨にみせたのは理由のないことではなかった。津軽藩の政策として、他藩から来た湯治客を直ちに見抜く手段として、地元民に極端な方言を使うことを強要したのである。

今でも、ここは巨大な規模の宿であり、一夜に七、八百人は泊まることができるだろう。封建時代でもけっして小さい宿ではなく、湯の利用はつねに監視されていた。この名残《なごり》は今でもみられ、国立公園地域となった今日でも、ここは荒川山国有地である。

当時は、毎日の宿泊者の数が直属の津軽藩主へ報告された。津軽海峡を渡ってくる浴客もかなりいたから、農閑期になると、毎日のように、北海道松前領の住民何名、そして黒石領何名と逐一報告することが厳命されていたのである。

地図上では、本州も北端にちかい、浅虫や大鰐よりも有名でない「点」のような湯治場にすぎないが、この一軒宿はひろく北日本の庶民に愛されつづけてきたといえる。この二、三年をみても、北海道の各地からやって来る人が約半数、残りが青森、岩手、秋田の農民たちである。神経痛を治したい一心でやって来る人が圧倒的に多い。同じ温泉療養でも、草津あたりとちがって、三回一めぐりという効き目であることが、今日のようなスピード時代にはひまと金のない農民療養者にとって、大きな魅力なのであろう。事実、白戸さん自身がおどろいた例に、小児まひの人が一月滞在して快癒したことや、強度の近視を治した事実がある。

健全な肉体をほこる若者なら、ここでスキー合宿をやれば血の気が多くなりすぎるそうである。日大、早大の学生が一冬滞在してスキーをやったら、血球数が急にふえたという。

湯舟はひろく、裸体をふみ入れた瞬間では、湯気がたちこめていて、そのひろさが想像できないほどだ。木造りの素朴な湯舎のもとに、いくつかの湯舟がある。男女混浴はここでは少しも不自然とは思えない。やはり、ここはいわゆる、みちのくの湯治場である。戦後は湯治に来た農婦とアメリカの兵隊とが、裸体同様で親しげに話しあっている。その情景を見ていると、言葉という手段を用いて笑いあっているのではないことがよくわかる。互いに裸で、身体ごとで表現を通じあっているのである。

外人ばかりではない。このみちのくの湯には、昔から「湯治会」という組織が自然発生的に生まれた。病気の治療という願望で気持ちを同じにしている人々が、互いに平等な恩恵に浴そうということでつくった制度である。全国各地に会長がいる。分割払いの会費を納入しあうことによって、会員が機会均等の湯治をすることができる。

5

酸ヶ湯はこうして、関東以北の庶民によって永いあいだ愛されてきた。いわゆる歓楽のための温泉ではない。「国民温泉」という名でここが呼ばれはじめたのも、うなずける。時代の進展とともに卑俗化しない温泉地に対して、厚生省が日本中のなかからいくつかの温泉を見つけて、指定したのである。おそらく今後も芸者が夜をにぎわしたり、原色の色彩を塗った俗悪な建物が建つことはあるまい。それは白戸さんの意志に反しなかった。

秋の一日、この湯の前を通るバスを見てもわかる。青森から二時間、十和田湖からきても三時間、長いバス旅行でつかれた乗客たちは、酸ヶ湯へ着くと、誰しも腰を伸ばしたくなり、海抜約九〇〇メートルのさわやかな空気を、胸一杯吸いこんでみたくなるのだろう。

乗客はわずか十分の休憩時間を待ちあぐねていたように、狭い車体から躍り出る。そして、申し合わせたように「雲谷《もや》そば」と大きく文字を染めぬいたのれんをかきわけて、食欲をみたす。これが白戸さん自慢の郷土の味なのだ。

貸切バスが十和田湖へ集中する秋の週末などは、このそばが一日に千三百杯も売れる。

定期のバスと貸切バスが一度に車体を並べて到着するときは、壮観だ。そばはいくらあっても足りない。毎日朝五時半にはその日のそばがバスに乗って青森から運ばれてくる。七時にはつくりあげて、一番のバスの客を待つのだ。

そばは味付けが第一だ、という白戸さんは、この営業に成功した。酸ケ湯に一夜を過ごすだけの余裕のない旅行者にとっても、このそばの味は忘れられない、と聞かされたことがある。

この旅行者へのサービスも、白戸さんの永年の理想と相反してはいない。酸ケ湯を庶民のための温泉にしたい気持ちにそっている。意志に反したといえば、やはり雪上車の存在である。

ふらりとやって来た、ひとりの都会の青年の死によって、白戸さんが考えを改めたのは、いうまでもなく、雪上車が原因していた。

青森から雪上車が通っているということを伝え聞いて、スキーも充分できない無謀な若者たちがやって来る。そして、難渋する。そして起こる遭難を未然に防ぐには、交通機関をなくすことだ。そうすればスキーの心得のある者しかこられなくなる。それは冬という季節の営業を自ら放擲《ほうてき》しての犠牲的手段であったが、白戸さんは、あの事件以来、冬は従業員を解雇した。

ある女中は花嫁修業のために、この宿での接客という仕事をわざわざ志願してきたのだ。ある女中は、冬は青森の街へ帰って、生け花や洋裁がならえるとよろこんだ。泊まり客のための女中は毎年百二十人をくだらなかった。いわば季節労働者である。十月末に宿を閉じることを白戸さんが宣言して以来、女性たちは失業保険で冬を過ごした。女中以外の使用人をふくめると毎年最盛期には百七十人が、この巨大な株式会社組織の屋根の下で働いていたのである。

女中たちがすべて去ったあとの冬の酸ヶ湯、そこには雪と毎日たたかうだけの男たちが二十人残る。一月、二月、三月のあいだ、屋根も柱も押しつぶしそうな豪雪を毎日のようにおろして生きる男だけの生活がつづく。

雪上車はこのとき、たったひとつの食糧補給機関となるのだ。気まぐれな都会からのスキーヤーを運ぶ車ではなくて、男二十人が生きる糧をもたらす生命の綱だ。

かつて、昭和二十九年から、三年間というもの、青函《せいかん》連絡船が吹雪で出帆できない日でも雪上車は青森から酸ヶ湯へ、事故も起こさず走った。白戸さんにしてみれば国民温泉らしく湯治客だけは乗せてやりたいのだ。

白戸さんは、この雪上車をもっと大きな組織が運転してくれることを望んでいる。

四季のうち春の雪解けから十月末の新雪のくるまで国鉄がバスを走らせてくれている。それなら、当然、国鉄がこの雪上車を走らせてくれてもよいという気持ちである。春、夏、秋には、国鉄のバスが独占的な運転をしていながら、冬だけ酸ヶ湯が私有する雪上車が走るというのは、理屈に合わないというのである。

というと、長男を失った白戸さんの気持ちとしては、矛盾した意見のようだが、スキーヤーには三月以降に来ることをすすめても、正月の農閑期を利用して集まる農民たちには足の便をつくってやりたいのである。それにしては、運賃が高くつく。しかも、非能率的な乗物である。定員はふつう九人、スピードこそバスに劣らないとはいえ、自重が二トンもあり、少し荷物を積めば七、八人しか乗せられないのである。

昨今の南極観測ブームで、この雪上車の性能は急速に研究され、改善されたとはいえ、とてもスキーヤーなどがバス代わりに利用できる運賃では走らせることができない。越後の妙高山麓でもその運賃の高いことは毎年非難されてきた。七、八人しか乗れないのに、予約者はたくさんいる。一週間も前に申し込んだのに乗せてくれない、という不満が酸ヶ湯へも毎日のように寄せられる。白戸さんは、自分の考えるサービス精神と離反した行為に積極的になれない。国鉄が春、夏、秋のバスの代わりに冬はこの車を動かすことが常識だと言いたいのである。

小松製作所で造られたこの雪上車は、雪の抵抗という点で研究が不足していることをたちまち暴露した。青森の街を出るときはアイスバーンかコンクリートの上で固まった大地だが、萱野《かやの》高原から、雲谷峠を越えれば、大地の様子はちがう。雪というものはつねにやわらかいものだと錯覚していたのではないか、と白戸さんは言う。みちのくもこの本州の北端にちかい、しかも日本海の冬風をうける高原では、設計者の予期に反した事情が多々あった。

強暴な冬の風に、薄いトタン板のボディは耐えがたい表情を見せた。

雪国の事情は雪国の人でなければわからない。都会育ちの青年が冬の八甲田山で遭難するように、都会生まれの雪上車は、冬の八甲田山に身をふるえあがらせた。

ある風土に生きるということは生やさしいことではない。地方行政というものは、まずその風土を理解することからはじまる。白戸さんの生涯は、少なくとも、この雪、この風土とともに時を経て、すでに無思慮な他人の意見をさしはさまないであろう。酸ヶ湯の三十年は日本の風土の特殊性と、貧しい政治感覚と人間の軽薄さについて多くの教訓を秘めているようである。

取材：一九五八（昭和三三）年

夏油という湯治場へ
——奥羽山中の秘湯——

1

今どき、ランプの宿を求めて旅に出るなどとは時代錯誤なことだ、といわれそうだが、時速一六〇キロをほこる列車の試運転が成功したと聞いたその日の夜、ネオンのきらめく上野駅をあとにして、東北本線へ乗りこんだ。

都会に生きていると、そんな気持ちになるのが現代だ。特急列車も、オートバイも、バスも「乗物」だが、私の脚も「こころ」を乗せて歩く「乗物」だ。そう考えれば、二本の脚、これほど確実で、わがままの効く乗物はない。

夕暮の銀座通りを歩いたのはつい昨夜のことだが、そのときも、車はぎっしり道路を埋め尽くし、速いはずの現代的乗物も、交差点でゆきづまって、人間の方が勝ちほこったように、身軽に舗道を前進していた。二本の脚の有難さを現代ほど力強く感ずることはない。

しかし、それにしても、われながら妙な気持ちになる。電気という新しい動力を発明したのも人間であるはずなのに、日頃現代人を自負する自分がランプを求めて山の湯へ二本の脚で旅をする気持ちになるとは……。この気持ちが両立することを疑う必要もあるまい。ランプはもう前世紀の遺物である。日本のあらゆる山の中でダムがつくられ、谷らしい谷間はすべて電源開発の名のもとに水が湛《たた》えられている今日だ。山中に住む人々はその文明開化を文化の進展として、よろこんでいるだろう。煙を吐く汽車が次第に姿を消してゆく。それを残念だと感じるのは、「現代」に食傷した人間の酔興だろうか。

ともかく、私は東北本線を、北上《きたかみ》という駅で降りた。駅前の家並みは月並みで、もっと鄙《ひな》びた町を想像していた眼にはあまりにも「現代」が多すぎた。この町は少し前まで黒沢尻というゆかしい名で呼ばれていたのだ。今、降りてみれば、街路をひろくする工事がすでに行なわれかけている。そのくせ、バスだけが妙に小型で「現代」の感覚から遠かった。それに奥羽《おうう》山脈の方向に眼をやると、目的の山の湯があると思われる地平線のあたりは遠すぎた。バスは岩崎新田というふもとの村まで通っていると知らされたが、そのあたりは灰色の雲がたちこめていた。

ランプが今でもある、と誰かに聞かされた山の湯である。しかし、この駅前の風景に接した瞬間、ランプがともっているという期待は疑わしくなった。町は「みちのく」らしい古さから脱皮しようと、今さかんにもがいているといった感じであった。

今日ゆく山の湯の名は夏油《げとう》――その名を地図の上に発見して、心を惹《ひ》かれたのは随分以前のことだ。「ゲトウ」と読むと聞いたとき、なにか不思議な発音で、その山奥の湯の様子について、よりくわしい知識を得たいと、何人かの人に聞いたことがあったが、誰も知らなかった。東北地方では、そんな不便な山奥を訪ねなくとも、手軽なところに鄙びた温泉が数多くあったからであろう。

しかし、年ごとに山奥の生活がひらけてゆくこのごろ、いまだにランプがあるらしいと聞いたとき、夏油の名は一度見たい旅先に変わり、「夏」の一日、「石油」をともしながら農民が集う山宿の情景が、バスに揺られてゆく頭の中でさまざまな映像をもりあげていた。

奥羽山脈は北から南へ重畳《ちょうじょう》と連なり、北上と横手をむすぶ横黒線《おうこく》（一九六六年に北上線と改称）の沿線では、茂り深い山々が東西の分水嶺をなしている。夏油はその横黒線の一駅、岩沢から南へ約五里、東北本線の北上駅からは、バスの終点から四時間ほどの徒歩を強いられそうな山中にあることを地図は示している。正確にはかると、岩

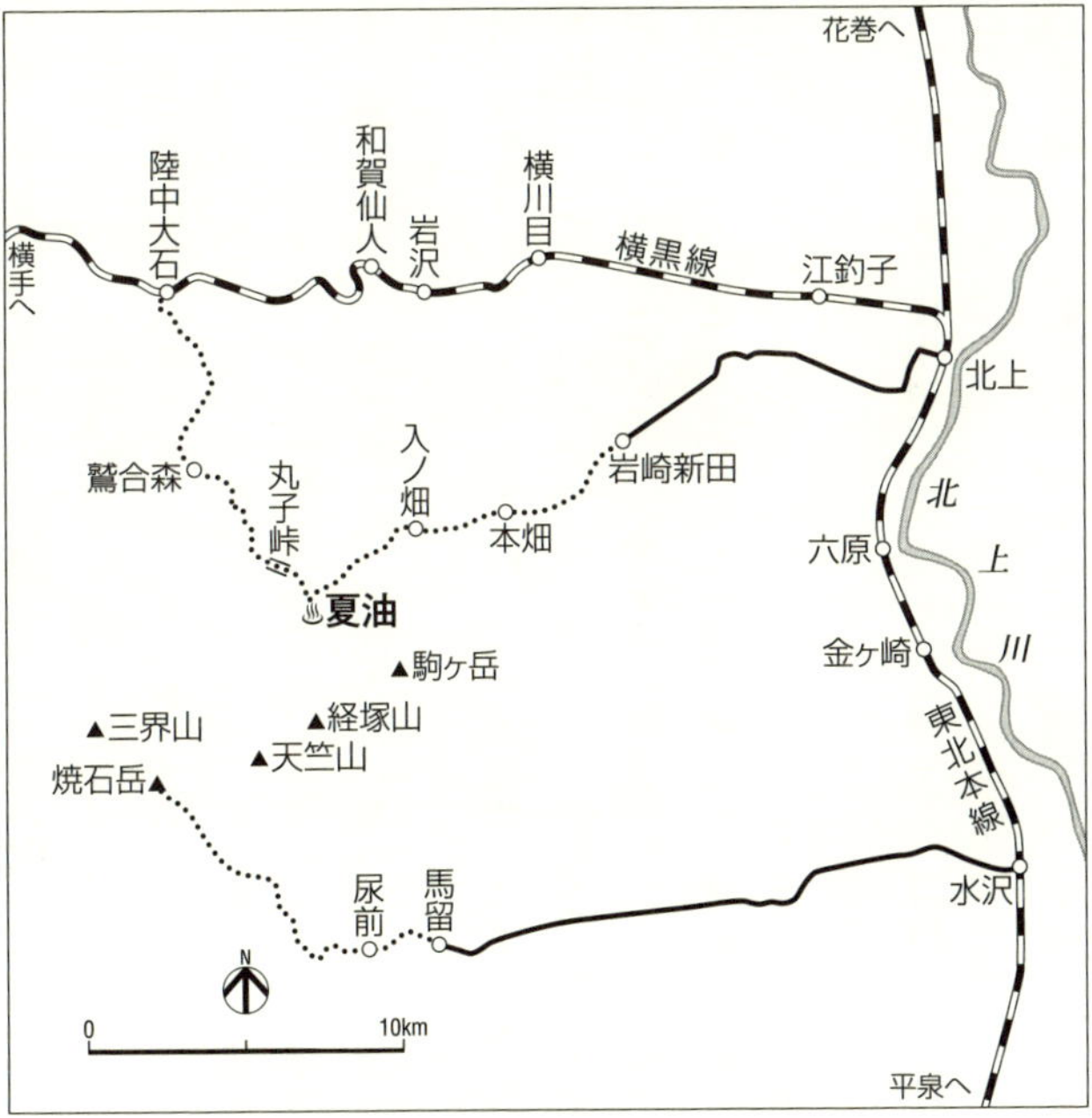

花巻へ
横手へ
陸中大石
和賀仙人
岩沢
横川目
横黒線
江釣子
北上
鷲合森
丸子峠
入ノ畑
本畑
岩崎新田
夏油
北
上
川
六原
駒ヶ岳
金ヶ崎
三界山
経塚山
天竺山
焼石岳
東北本線
尿前
馬留
水沢
N
0
10km
平泉へ

沢からの方が、少しばかり近いように思えたが、この間には細々とした山道があるだけで、現地で聞けば、やはり北上から夏油川をさかのぼった方がよい、と聞かされた。しかし、一時間ほど揺られたバスは殺風景な村の一隅《いちぐう》で客を降ろした。降ろされた客は、二、三人、皆一瞬とまどい、百円出せばあと二里ほど先の、最奥の集落まで乗せてくれるという小型トラックの運転手の好意で、未知の客たちは互いに打ち合わせることもなく、跳び乗ると、五分後には、凹凸のはげしい谷沿いの道の左右に美しい渓谷が展開していた。

その風景の変化はおどろくほどだった。一時間ほど前には、奥羽山脈は遠い地平線の彼方で雲にけむっていたが、間違いなく、ここは山中だ。トラックは夏油温泉という文字を白く塗り、「高七薪炭部」と書かれた所有主の名はおそらくトラックに積まれるものが炭や薪であることを物語っていた。そしてはげしく揺れるのは、そこがごく最近まで営林署のトロッコ道で、レールがはずされたばかりの軌道《きどう》の跡であることを示していた。

「入《いり》ノ畑《はた》」と地図にある山中の村でトラックは停まり、百円ずつ受け取った車がいま来た道の彼方に消えると、沛然《はいぜん》として雨が降りはじめた。一頭の馬がビールと日用品を乗せて山道に吸いこまれていったあとには、壊れた山小屋のような休憩所だけが鮮

谷川のほとりにある夏油温泉の湯屋

やかなみどりの背景から浮かびあがった。

ここからは徒歩だ。湯治客らしい人も見えず、山道は細々とつづく。一時間の後には渓流に沿う岩を伝い、夏油川が二つに分かれるところで不安定な橋を渡ると、道は急な登りとなり、やがて深い峡谷の音を脚下に聞く平らな山道と変わった。雨の音と渓流の音が定かに聞き分けられなくなったころ、夏油は濃いみどりの山肌のあいだからぽっかり白い家を覗《のぞ》かせた。

しかし、これは営林署の建物で、温泉ではなかった。温泉はその奥にあった。

その日、第六号台風は次第に日本列島に近づき、この山中にもその余波は現われていた。雨は次第に強まっていた。ひとり旅の淋《さび》しさは、雨で倍加していたが、次の瞬間、古びた農家のような宿の縁側に座って私をみつめる眼の多いことに驚いた。予期に反して、宿はほとんど湯治客で満員のように見えた。

2

雨が降ると、ナメクジが這《は》い上がってきて都会から来た客をなやますという山の宿のあることを聞いたが、この宿も古びすぎた平屋の建物が左右に四棟ずつ、左に川を、右に山を背負って並んでいる。とにかく部屋は与えられたが、はたしてランプだった。

自然に湧き出す湯を谷間の一隅で囲っている。屋根のつくられているところが二ヵ所、屋根のない露天風呂が一ヵ所、入りたくなると、湯治客は三々五々と、小まめに歩いて通う。都会人の顔はなかった。裸体を見て、その人の職業を知ることはむずかしいが、少なくとも眼鏡を掛けた顔はなかった。男も女も等しく老いて、腰の曲がり方が似ていた。まさに日本の農民たちだ。女も娘時代から腰をかがめる姿勢を強要される水田作業、それを何十年もつづければ、みな等しく上半身と下半身の曲折の角度は同じになるのだろう。そして湯にひたって楽しいという表情の顔はなく、等しく思いは、またやがてはじまる秋の刈り入れ作業へむいているようであった。

日本の湯治場というものは、すべてこうした農民たちの「病院」の代用品として自然の形をととのえていったというべきだろう。当世風にいえば、病院というよりも、湯治場は、安い「人間ドック」の役割をしてきたのだろう。

人間ドックなどを必要としない都会の若者がこんな湯舟につかって、したり顔に彼等の表情を眺めることをどんな気持ちで考えただろう。「宿泊料二食付六百円」と書かれた部屋をもつ棟はひとつしかなく、他の六棟は、それぞれ、河鹿館、牛形館、紅葉館、昭和館、経塚館、薬師館と名づけられていて、自炊客が寝起きしている。「館」というものの、あまりにも手垢に染まったあばら屋である。退屈しきった湯治客が私の登山姿に視線をあつめる。彼等は毎日夜にならないと、元気をとり戻さなかったのである。

夜——それは山中とは思えぬ一大合唱場であった。ランプにむらがる虫のように、少しでも元気な湯治客は一部屋に集まって、枯れた喉をふりしぼって、土地の民謡を歌った。

雨——それは台風六号の前触れにしては早すぎ、農民たちは八月の半ばに早くもやって来た台風をうらむかのように、ひときわ大声で歌い合った。そのさなか、傘をさしてふりしきる戸外へ出てみると、雨のなかで一ヵ所から流れ出る合唱が妙に哀調を帯びていた。「さんさ時雨」の正調を聞いたのも久しぶりだ。聞く人はなく、歌う人たちだけだ。ひときわあかるいその一室に、今この湯治場の鼓動は集中しているかのようであった。

風が鳴り、川音が雨の音に消され、「さんさ時雨」の合唱がバリトンから低音のバスに変わっていくのを感じたころ、私は夜の露天風呂へ下りて行った。「女《め》ノ湯」と呼ばれる川っ縁の小さな野天風呂には、女の姿などなかった。対岸にある「真湯」に

山深くにある往時の夏油温泉

ともるたったひとつのランプが、今にも消えそうな光を投げているだけであった。そこにも人はいなかった。傘をさしながら、ひとり雨中の湯にひたっている自分が、なにか劇中の人物のように客観視されるのであった。

駒ヶ岳温泉由来

人皇九十六代、後醍醐《ごだいご》天皇の御治世に当つて、夏油内に舞津神といふ山の麓に、誰の末といふこと知らず落人数多居住せり。

そのうちに、四郎といふ人の嫡子、四郎右衛門といふ大勇剛力その比なき武道の達人にて、狩猟を好み、それを家業とせり。時しも建武元年辰の秋を去ることなるに、四郎右衛門例の如く深山を指して出発せり。先祖より伝はるところの大身の槍をひつさげ、だんだんと奥山に入所したるかな、谷底より西風俄かに吹き来たる。なに不思議ならず、と見下ろしければ丈五尺余の白猿あまたの子猿をひきつれ、木の実をひろふ風情、持ちたる大身の槍を早々とふり、押取り、谷底へ下り、汝をのがさじとつき立てたり。白猿大いに怒りてとび上る。白猿ひらりと大木に飛びうつる。追ひつれど早や陽も西山に入り、谷々沢々に見わけつかず。

翌年、正月二十三日、家宅を出立、八ッ森といふ山をのぼりてだんだん奥山に指しつけるに、下れば猿ども大勢むらがつており、地煙上るところ、白猿坐してその中に小猿どもに背をうたせをるを察せり。悠々としてをりたり。

四郎右衛門さてはくせもの、見届けるや、早く谷底へ下るところ、のこらず深山へ走りこみ、四郎右衛門そのあとを見廻りければ、ところどころ温泉の煙、湧き出ているもの、しばらく思案してさるとき、かの白猿の温泉にて傷を直さんと見たり、四郎右衛門早やこの温泉に印を立て、その後里人に伝へたりといふ。よつてこの温泉を白猿湯といふ。色はきはめて白く、故に後の人、白塩湯といふ。俗説にて右落人は平家の末ならんかと世に伝へたり。

永和元歳　丁卯四月

岩嶋邑《むら》内畑
宋女丞

但し、この書は建武二年初見いたしたるとの事、書あり

巻紙に墨書されたこの由来書を私に見せてくれたのは、この温泉の番頭をつとめること十年という高橋清四郎氏であった。近頃はやりの宣伝パンフレットならいざしら

ず、この巻紙を氏は大事そうにとり出し、建武二年から大正十二年まで六百十四年たっていると語った。大正十二年に誰かがこの文章を書き直して、それ以後伝えたものであろう。今どき珍しい由来書である。

山にすむ動物が人間より先に温泉を発見したという例は、蛇や鷺《さぎ》や鶴のこともあり、なにも目新しくはない。おそらくすべての温泉が最初はそういう形で発見されている。ただ由来書がありながら、このマスコミの世の中で、まだ、宣伝パンフレットひとつつくられていないことには驚いてもよかった。しかし、この由来書でもわからなかったのは、夏油という名の起こりであった。高橋さんは言った。「ゲトウ」という呼び名は最初はなく、駒ヶ岳のふもとの「岳温泉」と呼んでいた。どうして夏油となったかはわからない。私は妙に追求した。別の人に聞けば、ゲトウの名は最初、湯の出る川を指していたのだという。川が油のように白い色をしているのを見て、山林に働く人が「ゲトガワ」と呼んだ。それが温泉の名に変わったというが、「私もよくは知らない。おそらくアイヌ語でしょう」とつまらない地名の詮索は嫌った。昔は「タケの湯さ行ぐ」といえば、それで事足りたのだ、と言いたげであった。

たしかに、それ以上知っている人を求めることは不可能だった。それよりも、わざわざその由来書を持ってきて見せた高橋清四郎という番頭の語る過去の生涯には、それ以上興味をひく物語があったというべきだろう。

彼は、この宿での経営者のように見えたが、そうではなく、一介の番頭というにしては、少しばかりこの土地に愛着を持ちすぎている風に見えた。それに理由がないはずはなかった。

高等小学校を出て横浜のキリンビール会社につとめた期間は永かった。停年が彼を都会から追い出し、職長までつとめた自分をいたわる気持ちで、郷里に近いこの山中の湯を訪れた。工場労働者として酷使したわが身を湯舟にひたらせているとき、ふと今後の生活のことに想いがおよんだのは当然だったろう。彼は一ヵ月ほど湯治客としてこの温泉を都会人の眼で眺めた。それは彼の心をやすませたと同時に、客扱いに対しても不満を感じさせた。日本の湯治場というものを、改めて見直した。

彼がこの温泉の番頭を志願したのは、それから間もなくだった。「わしを使ってみてくれ」と彼はたのんだ。地元の同年輩の男たちが三人で出資してやってきたこの湯治場に、雇傭条件などあるはずはなかった。客商売にはサービスが必要だ、と彼は持論をのべた。停年以後の人生を番頭として生きてみたい、という彼の希望を拒否する理由はなかった。伊藤忍、高橋七五三、高橋明という三人の経営者たちは快く彼を住まわせた。

高橋清四郎は、ビール工場の職長時代に、湯治場の存在をもっとみとめておけばよかった、と述懐した。彼を可愛がってくれた当時の工場長、原田さんは当時一度に四十五本のビール壜を生産できる技術を発明してドイツから帰国し、その力量は大きくみとめられ、ビール生産にひとつの革命をもたらしたのだが、晩年は胸を病んで惜《お》しくも世を去った。番頭となった高橋さんは、この夏油に来てはじめて、悪質の胸部疾患が快癒した実例をいくつか聞いた。そんな人の全治を耳にするたびに、彼の脳裏には、あの原田さんのことが想い浮かぶと言った。

ここは人生の回想に生きる人々の集うところである。若い男が来るところではない。高橋さんにしても、滞在する客にしても、みなそうだった。台風六号の吹く夜、私は他人の回想に耳をかたむける自分に対して反省していた。美しい物語だったが、私はまだ若かった。高橋清四郎の人生は私には無縁だと思い返す必要があった。

3

翌日も晴れなかった。湯治客として、この温泉へ来たのではなかったとすれば一部屋に閉じこもっている気持ちにはなれず、雨中の山路へとび出した。みどりがむせかえるような林の中に身を躍らせた。

ブナだ。ナラだ。山肌をとりまく樹々はまさにすべてが濶葉樹だった。秋は美しい色を見せるだろう。昨夜食膳を飾ったのがトビタケと呼ばれるブナの木に生えるキノコなら、十月になれば、おそらくマイタケが小暗いブナの木肌に姿を現わすだろう。そしてさらに秋が深まれば、ナメコが朽ちたブナの巨木で独特の香りを放ちはじめるにちがいない。あと一月も経てば、秋という季節がいきいきと感じられそうな山々が、私の行く手に、深い谷間を見せていた。

その谷間に沿う道を二十分もゆけば、そこには不思議な天然の芸術があった。天然記念物に指定されている石灰華《せっかいか》というものを見たことのなかった私には新しい驚きであった。それは山陰《やまかげ》にできた巨大なオビンズルのような石灰岩のドームで、釣鐘型《つりがねがた》をして、みどりの山肌から浮き出していた。大自然が地下から少しずつ石灰を吐き出しながら、堆積させたものにちがいない。高さは一〇メートルもあろうか。そしてそのドームの頂からも湯が湧き、見下ろす川岸の一隅にも人影のない露天風呂が透明な湯を湛えていた。

みどりの葉がその湯の水面に色を映す。秋はおそらく、せばまった両岸の山肌から紅の葉が一枚ずつこの湯面に散ってゆくだろう。黄色いブナの葉が散り、赤いウルシの葉が散れば、やがて純白な雪がこの谷間を埋めはじめるだろう。

深い谷間だ。この先、山路をさらにたどって、焼石岳まで登ろうと思って、はるばる東京からやって来た私だったが、道は今なおひらかれていないという話で、前進は断念せざるを得なかった。

みちのくの山、ことに奥羽脊梁《せきりょう》と呼ばれる中央山地の山々は、登山ブームといわれる今日でも、有名な山以外はまだ山道がつけられていない。岩登りができるような露岩ならかえって事は簡単だが、根曲竹《ねまがりだけ》がびっしりと山肌をおおう東北地方では、道のない山は、尾根筋すら歩けない。先日、読売新聞社で派遣した本州中央山脈縦走隊の人々も、夏油まできて退却したと聞かされた。私は勇猛果敢な彼等がこの夏油から焼石岳への道をパイオニアとして、おそらく切り拓いてくれるだろうと期待したが、彼等は安易に退却した。みちのくの奥山は、今後も短時日のあいだには、白日のもとにさらされることはあるまい。仕方なく、私も焼石岳への登山をあきらめた。この山は水沢の方から入れば楽に登れるが、魅力を感じたのは、この夏油からの縦走であっただけにあきらめきれない気持ちで、深い谷間の行く手をみつめた。

しかし、聞けば、まだ夏油の秘めた湯舟はあった。

それも見たい気持ちになった。それは石灰華のある谷間とは逆に、夏油川を少し下り右手の谷を登りつめたところで、滑りやすい谷底の斜面の奥に現われる大きな洞窟の中にあった。大きな滝が落下してこの谷間の行く手をはばんでいたが、その左手にある洞窟から湯が湧き出しているのは、まったく不思議であった。聞けば、かつて鉱石を掘り出そうとしていたとき、突然穴の奥で湯が湧き出したのである。

こういう湯の湧き出し方は他にもないわけではなかった。伊豆の天城《あまぎ》山中にある大滝——「おおだる」のかたわらでもこれと同じケースが起こり、そこには今でも滝の横に洞窟がある。湯は腰まであり、内部には電灯までつけられていたが、この洞窟は坑道の採掘を中止したままかと思われる形で、灯火のない暗い洞窟の奥は、どのくらい深いものか一瞬予測もできないほど湯気で烟り、裸足の足底はかたい小石を踏んでかなりの痛みさえ覚え、不気味だった。

しかし、わずか一五メートルほどで行く手はさえぎられた。もっと神秘な場面の展開することを期待していた気持ちは失望に変わったが、夏油という湯治場がこんな風変わりな横穴の風呂をもっていたことを知って雨による足止めもたのしいものだ、と思い直していた。

こうして二日の夏油滞在をあとに、旅は奥羽山脈を越える日を迎えた。往きにたどった道を戻ることはやさしいが、それでは面白味がなく、未知の旅路にひかれるいつもの癖が出て、雨中の峠越えをえらんだ。丸子峠——九三八メートル。秋田県側から湯治客のごく一部が利用する淋しい分水嶺の鞍部である。そこを越えればおそらく、天気は一変し、あるいは陽に照り映える山肌が見られるかもしれない、という期待があった。峠を下って鷲合森《わしあいもり》という三井金属鉱山の経営する銅山の集落を通り、横黒線の陸中大石《りくちゅうおおいし》へ通ずる山道が四里の長さでつづいている。そして、その日は、一山むこうに湧く湯川の温泉場に泊まることができそうに思えた。

峠はあまり定かでない山道を次第に高まらせて、雨を少しずつ小降りにしたが、遂に空は晴れなかった。山のみどりの匂いがわずか三日間に、私の身体にしみついてしまったかの感さえあった。

こんな峠を越える人があるのだろうか、と思われるような草深さである。この峠への分かれ道を探すのにすでに迷った。峠まで二時間かかったのも、雨のせいばかりではない。

奥羽山脈は本州の最北端から南へ、あたかも日本列島の脊椎《せきつい》のように左右に骨を無数に伸ばして一筋に横たわっているが、このなかにそびえる有名な山以外は、まだほとんど未開だといっていい。遠望の姿良く、登ってみて展望のよい、かぎられた山だ

湯川温泉の湯宿にて

けが話題となってきただけだ。八甲田《はっこうだ》山、八幡平《はちまんたい》、栗駒《くりこま》山、蔵王《ざおう》、吾妻《あづま》そして磐梯《ばんだい》、おそらくそんな程度であろう。こうした有名な山と山のあいだはほとんど、いま私が歩いているような、人影稀《まれ》な草深さなのだ。

しかし、それが魅力でやって来た私だ。この奥羽山脈を東西に横断する鉄道は花輪線、横黒線、陸羽《りくう》東線、仙山《せんざん》線、奥羽線、磐越《ばんえつ》西線と六つほどあるが、今までこの横黒線だけは乗ってみる機会がなかったのだ。今日こうして峠を越えて、明日はぜひ、横黒線に乗ってみたい。そのためには、今日の日暮れまでに、どうしても陸中大石という駅へ出なければならない。

時刻は昼をすぎ、峠の西側で三井金属鉱山の経営する巨大な銅山を見た。地図はそこを鷲合森と記していた。そこでトラックに便乗したいと思い、交渉したのだが、鉱石を積んで出発するのは三時間後だといわれて、仕方なく歩きつづけることにしたのだ。

もう秘境でもなければ、深山でもないあかるさがとりまいているひろい街道を夢中で歩いた。二つ、三つと村落を見送った。

バスが予期に反した山間僻地《へきち》にまで入りこんでいる今日でも、奥羽山脈のこうした人口稀薄の山中には、今でもバスの姿はない。しかし、それだけに、バスの砂塵をまったく受けないみどりが街道の左右で色あざやかだ。この濡れたみどりこそ東北の夏の色だ。

歩きつづけているうちに、まだ昼食をとっていないことを想い出したが、適当な雨やどりの場所がなかったせいだった。唯一の休息地がやがて見つかったが、道傍で簡単なテントを張って道路工事をしている人夫たちの休み場であった。焚き火が燃やされているのを見て、とび込む外なかった。

なんという心の安堵《あんど》であろう。汗が冷えきって体温を吸収してゆく山路の下りは、いつもつらいが、その極限に達したときに得るささやかな休息。それは陶酔に似た肉体のやすらぎだ。そして、ここが奥羽山中であることを意識に上らせたとき、わずか三十分の昼食時間は久しぶりに経験する人間らしい疲労感を生んだ。都会に生活していると、こういう疲労感はない。頭脳の疲れはあっても、肉体だけが純粋に疲労することはない。肉体の疲れが思索を排除するこの状態を私はいつもあこがれていたのではなかったか。

夏油のような湯治場に集まる農民たちが想い出され、いま一緒に雨中のテントで大きな弁当箱を手にして昼食をとる人夫たちの顔を改めて眺めた。彼等は親切であった。やがて山の奥から一台のジープが降りてくるはずだ、それに乗せてもらえ、と彼等は言った。私は救われた気持ちになった。やがて、まるで連絡がついていたかのように、テントの前に一台のジープがぴたりと停まった。

私はそれに乗り、これであと一時間の後には、横黒線に乗れると子供のようにワクワクしながら、親切な人夫たちに頭を下げた。

初出：『旅』一九五九（昭和三四）年一〇月号

岬

陸の孤島・佐田岬

――四国の最西端――

1

それは四国の最西端である。地図を見るとき、四国がカメレオンの舌のように長く伸びて、今にも九州へ届こうとする形に似ている。だが、わずかの距離で九州には届いていない。

しかし、佐田《さだ》岬は四国の西で十三里も海へ突き出ているのである。岬の数多い日本のなかでも、これほどスマートに、まるで矢のように真っ直ぐ突き出た岬はない。それは地図に描かれてみると、大自然がつくりあげた一個の芸術品のようでさえある。

私はまず、この地形の奇しさにひかれた。日本では、突き出た岬の大部分は、たいていいわゆる砂嘴《さし》であることが多いのに、この佐田岬はちがう。高さ三五〇メートルにちかい山々を鋸歯状《きょしじょう》に延々と起伏させて、さながら堤防のように横たわるのである。

佐田岬灯台。初点灯は 1918（大正 7）年

その長さ十三里と聞けばたやすく一日でゆける長さではない。事実、バスが全盛をきわめる今日でも、この岬に陸上の乗物はない。いやバスどころか、自転車でさえこの起伏では役に立たないのである。

私はこの陸の孤島のような僻地《へきち》のはるけさにひかれた。

だが、さらに私の心を惹《ひ》いたのは、この岬が終戦まで、完全に一人の旅行者さえ近づけなかった要塞《ようさい》地帯だったことである。戦争中、ここを話題にしたり、この岬をよく知っているような口ぶりをすれば、すぐ見えない官憲の手が廻りそうであった。佐田岬の沖で、イ号潜水艦が渦潮で沈没したそうだ、などと事実を語れば、人はそこが鳴門《なると》より激しい豊後《ぶんご》水道と呼ばれる海峡であったことを想い浮かべても、それ以上を語ることは避けたのである。佐田岬は旅行者の視野からばかりか、世人の話題の座でも、完全に禁句《タブー》とされていた時代がある。なぜなら、この佐田岬の一隅《いちぐう》にある三机《みつくえ》の港ではその港形がハワイのパール・ハーバーとそっくりだということから、当時特殊潜航艇が猛練習をしていたからであった。

村人は絶対に自らの眼で見た岬の風物を口外することを許されなかった。見ても、だまっていなければならなかった。ここは太平洋から瀬戸内海に入る船の通り道であるばかりか、戦争たけなわのころには、かならずB29の編隊がこの上空を目標に飛ん

豊後水道
三崎半島
神崎
三机へ
大久
松
釜木
三崎
与侈
佐田
串
正野(串)
佐田岬
八幡浜へ
重久丸航路
あかつき丸·すま丸航路
宇和島へ
宇和海
別府へ
N
0
5km

で、呉《くれ》の軍港へとむかったのである。

もちろん、灯台のひかりには暗幕が掛けられた。岬の人々は飛行機が通りすぎると、きまって全神経を呉の方向へそそいだ。佐田岬はまっくらな大気の中で沈黙していた。


……


だが、今、私の前に現われはじめた岬のあかるさはどうだろう。海は五月である。朝である。私の乗る船は今、巨大な白い外国船とすれちがった。神戸へむかうのであろうか。豊後水道は波しずかだ。ただ蒼い。上空に飛行機の姿はない。船の前方にはあこがれの佐田岬が見えはじめていた。

私はデッキに立ち、水平線にはっきりと姿を現わした佐田岬へカメラをかまえた。カメラを持つ私を監視する者はいない。ただ、さんさんと太陽がふりそそぐ。白い灯台、背後の山、前景の岩礁《がんしょう》。その三つがテクニカラーの構図でファインダーに収まる。

いま見る佐田岬は、過去の軍事基地のヴェールをかなぐりすてて、まさに、美しいひとつの島のようであった。

2

佐田岬はすべてが処女地である。旅行地としてここが紹介されたことはあまりあるまい。私は最初バスで八幡浜《やわたはま》から三机あたりまでゆき、そこから十里ちかい道を上下して、佐田の岬まで歩いてゆくことをたのしく思った。時代錯誤的な徒歩旅行のたのしさがある。

九州の大分《おおいた》に住む知人に、九州と四国を結ぶ船便について事前に手紙でたずねたところ、豊後水道は御存知のように相当な急潮の海峡で、今のところ、別府と宇和島のあいだを通う「あかつき丸」と「すま丸」の二船しかないという報せであった。しかも、一日たった二航海のこの汽船は、佐田岬の半島のなかほどにある三崎港には一日一度しか寄ってくれないのである。たとえば、四国側から三崎の港へ下りようとすれば、宇和島発八時半の汽船が、真夜中の一時四十分に停まるだけである。もちろん、沖に碇泊して、ハシケで港へ漕ぎ寄せるのである。

だが、現地へ行ってみると、現在はもう一つ「重久丸《しげひさ》」という二五〇トンの船が、三崎半島（佐多岬半島）の港をひとつずつ廻って、別府と八幡浜のあいだを往復していることがわかった。

そして、これが陸の孤島のような三崎半島をめぐる交通機関のすべてであった。だから、私の旅は、無計画な「未知への突入」のかたちではじまった。別府を九時に発《た》つ「すま丸」の船体は大きかったが、そのちょうど一週間前には、この姉妹船が大分沖で坐礁したと聞いて、私は近頃はやりの海難を思って、いくらか心を寒くした。

しかし、五月の豊後水道は、青い油を流したような静かさで、別府の裏山を水平線にそびえさせ、船は汽車ほどの動揺もなく、快く佐田岬へ近づいた。

遠望される佐田岬は最初あきらかにひとつの島のように思われた。だが、やがて、船が三崎半島の南へ廻りこみ、宇和海と呼ばれる四国沖に入ってくると、地図で予期したとおりの長い起伏のある岬の姿に変わった。

三崎はまるで港に背を向けた廃墟のような村であった。船が着くと、人々が沖へ視線をあつめるような日々変化のない村なのであろう。それでも、ナツミカンの実る暖かな村の人情は、村役場の吏員の応接にまで感じられた。前途にいくらかの不安を感じていた旅人にとって、上陸第一歩は予期に反して快さにあふれていた。私は親切な吏員の案内で、ここから佐田岬へ歩く労力の半分を軽減することができた。灯台のある岬角の途中の港まで小舟に乗せられたのである。船上の村人たちは見馴れぬ都会風な私をしげしげと見た。一緒に乗った警官の制服を着た中年の男は、船の上で帽子を顔にのせて海風をうけてひとしきり眠った。私はその屈託のない警官の顔に、佐田岬の平和を感じた。少女は船に乗って三崎の町へ映画を観に行った帰りであり、警官は仕事のない平穏な港町を祝福するかのようにしずかに眼を閉じた。

少年は町で久しぶりに買ってもらった絵本をたんねんに一ページずつめくっては見入っていた。佐田岬の山々はそれらの人々のさまざまな姿態を見下ろしていた。

こうして着いた正野《しょうの》港は、私が小学校時代、「海」という唱歌でうたったあのメロディのイメージの具象化のような風景であった。風景の要素に余剰なものがなかった。小さな堤防と、十艘《そう》にみたぬ小舟、弓形の浜が二つ。岩礁と、岬とそして一本の横にひいた水平線があるだけ。

道は起伏にみち、上がっては下がり、下がってはまた山の背へとみちびかれる。左は宇和海が太平洋につづき、右は瀬戸内海である。私の眼の下はほとんど六〇度にちかい急斜面で、そのまま青い海へ落ちこんでいる。佐田岬はまさに細長い堤のような岬である。私は今、陸の孤島を歩いている。

この実感は一昨日の夜、特急の「あさかぜ」で東京を発って、二日経った今日、ここを歩いているという時間の経過が教える。私は今、おそらくこの三崎半島十三里のなかで、たったひとりの旅人にちがいない。初夏とはいえ、この佐田岬を岬の突端にむかって歩いている人間はいないであろう。そのとき、やっとたどり着くこの堤の突端に立つ灯台に住む灯台守の姿を想い浮かべてみた。そこには何人の家族が住んでいるのであろうか。吏員はどんな表情で私を迎えるだろう。

今までにいくつかの灯台を私は訪れたことがある。房州白浜の野島《のじま》崎灯台を訪れたときは、作家の田宮虎彦氏と一緒であった。あのときの吏員は旅行者などに食傷しているといった風な顔付きで、将棋《しょうぎ》の駒もつ手を休めず「今は休憩時間だ」とすげなく言ったのが想い出された。

だが、この佐田岬は人の訪れに飢えているにちがいない。私はそこに生活する人の精神の飢餓状態を想った。冬の空の空虚感。豊後水道が嵐につつまれる台風の日の恐怖感。私は旅情の要素に、人間感情をつねに挿入する。

しかし、やがていくつかの起伏を上下してたどり着いた白い灯台の中で私が見た灯台守の姿は、あの白浜の灯台の人の印象とはちがっていた。彼は私がまだ灯台の階段を登らぬうちから、私の姿をはるかに見下ろして、人なつかしそうな表情を浮かべた。三十五、六にしか見えない若さであった。そしてやはりその顔には、いくらかの空虚感と、同時に、職業に対する異常な愛情とがあふれていた。この二つがひとつの肉体に分裂せずに抱擁されないかぎり、灯台守はおそらく明日への夢を失うにちがいない。

三崎から正野へ行く船

灯台の所属は現在、海上保安庁である。そして、彼は制服を着た一吏員である。一吏員であれば、立身出世を夢見ることがひとつの生き甲斐である。聞けば、彼は中学校を出たばかりで海員養成所に入り、そこを卒業してあこがれの灯台に生活をはじめた。そして最初に赴任したのが、この佐田岬であった。やがて瀬戸内海の室津《むろつ》へ行った。しかし、室津も二、三年、さらに高知の甲ノ浦へ移った。そのころから、彼はもうそろそろ年期も積んだし、今度は少しは有名な、そして、俗界に近い灯台へ行かせてくれるだろうとひそかに期待した。しかし、四度目の赴任先は皮肉にも、ふたたびこの佐田岬だった。彼はそのあいだに結婚をした。

「あなた、マキを割って下さいよ」

と彼の妻は私と語り合う最中に、灯台の下から呼びかけた。彼はひさしぶりのお客さまだ、と言って、その注文を少し延ばした。

人がこの灯台を訪れるのは、七、八月の季節だけである。別府通いの船からこの岬端の灯台を見て、カメラに収める人はあっても、ここをわざわざ旅先にえらぶ人は少ない。映画を観るにも船で行かねばならぬ。子供の小学校の運動会を三崎の町へ観にゆくのが、ここでは生きている実感の証明である。

「テレビがほしいと家族が言ってね」

と彼は不当な家族の要求をもてあますような表情を見せ、これからまだ二年はここを離れることはできそうもない、と言ったが、その声は妙に低音だった。しかし、あたりを見廻しても、この山本さん以外の姿は見えなかった。もうこれで十四年の灯台生活、と聞けば長いが、彼は最近まで三十七年勤続の人の部下だったという。「その人と較べたら、私なんぞ、まだ丁稚《でっち》の年期ですからね」と、あきらめに似たセリフがそれにつづいた。

それだけに、この岬に人々のあつまる七、八月が、彼にとっては、一年の春のように思えるのである。瀬戸内海の風景にあきた関西や四国の若者たちが、八幡浜や別府から船でここへやって来る。灯台は若者たちにとって、ひとつの夢である。そこに住む人々の心は知らず、一日のキャンプをたのしみ、若者たちは屈託のない笑いを海風に流す。この季節には、灯台の下の浜には簡易な売店までできる。船は若者たちを乗せて三々五々と海を走る。灯台の下は、夜も若者たちのキャンプ・ソングでにぎわう。

だが、彼等は冬の佐田岬の淋《さび》しさを知らない。ましてこの岬の過去に秘められた事実も知らない。若者たちの健やかな寝息の聞こえる灯台の下の浜の一隅には、岩蔭にかくれたコンクリート造りの脱衣場のようなものがあるが、実は、これはシャワーでも脱衣場でもなく、戦争の終わる日まで要塞地帯のもとに秘められた兵隊たちの炊事場だったのである。

ここで敗戦近い日々、一個中隊にちかい兵士たちが毎日、明日に希望のない戦運に一縷《いちる》ののぞみをかけて、ひそかにB29を迎撃しようと、ここに野砲をかくして機を待っていたのである。灯台の直下に浮かぶ海中の岩礁御籠島《おかご》にも地下から巧妙に貫かれた通路があり、その穴の出口は今なお、岩にえぐられた眼球のように、二つにぽっかりと海にむかって大きくひらいているのである。

よく見ると、海にひらいた不気味なこの二つの眼球の中にはなにもないのだ。大砲をそなえつけないうちに、灯台まで爆撃で破壊されてしまったのである。そして、やがて、終戦をむかえた。

残ったのは、青一色の澄明な海と、灯台の人たちだけであった。山本さんはふたたび佐田岬へ戻ってきた。戦いは終わったが、灯台をおそう大自然の脅威は少しも変わらなかった。ことに、冬の淋しさは想像を絶するものがある。

十月から翌年の三月までは、いわゆる瀬戸内海側からつめたい北西風が屏風を倒そうとする強さでこの堤防のような岬へぶつかってくる。だが、台風の季節のおそろしさはさらに大きい。

私ははるばるとたどり着いた灯台の背の高さが予期に反して、少しばかり小さいの

佐田岬突端にある砲台の跡

に失望したが、思うに、ここではあまり高くては灯台自身が堪えがたいのであろう。旅行者にとっては夢のような存在であるこの灯台にも、語らざる苦労はある。私は三崎へ戻る途中、急斜面の山肌に並ぶ農家をたずねて、さらに、この岬のもつ貧しい生活の断面を知った。

3

佐田岬は一本の矢のように突き出ているとはいえ、その形を仔細に見れば、瀬戸内海側は鋸歯のようにいくつかの入江をもっていて、その入江と入江はすべて小舟だけで連絡される。この十三里の岬には平地というものがない。あるとすればわずかに三崎の港町の背後に水田があるだけで、米というものは穫れない。家はしぜん、急斜面の山肌に建てられ、主食としては麦をほそぼそと育て、そのあいだに馬鈴薯《ばれいしょ》と甘藷《かんしょ》と豌豆《えんどう》を植える。つまり、山の背に近い緩斜面だけが手なずけられたばかりで、ほとんど直角に海へ落ちこむ急斜面には家も建てられない。そして、この上り下りの多い畑地の上で腰をかがめては手入れする人の姿を見ると、不思議とみな女性である。聞けば、この佐田岬では、男は地上で働かないのである。男は「海士《あまし》」と呼ばれ、すべて海へ繰りだし、志摩や房総の海岸のように、女は海に入らない。正野の宿の娘は言った。

「男が山で働いていたら、笑われますわ」

旅行者というものは現地を踏んで、今までもっていた既成概念を変更させるだけの柔軟性を用意しておく必要がある。

たとえば、私は、この佐田岬こそ、いわゆる伊予柑《いよかん》の原産地であろうと信じていた。三崎の港へ下りて調べると、たしかに防風林に保護されたナツミカンの林があった。しかし、ここはナツミカンの産地ではあったが、伊予柑はひとつも作っていなかった。私の疑問はすぐその追求に移った。伊予柑の産地は八幡浜と宇和島のあいだにある立間村あたりで、この半島では、生産費が温州《うんしゅう》ミカンの六割程度ですむナツミカンを育てることに最初からきめていたことを知った。風土をその地味とそれに伴う生活能力から取捨選択した態度は、ここばかりでなく、日本人が先天的に具有していたものであったにちがいない。一口にいって、佐田岬の岬端ほどナツミカンが多く、八幡浜に近づくほど温州が見られた。

だが、三崎の港もナツミカンの積出港としてだけでは生きてゆけない。そこで牛を飼った。それも健康な仔牛を売って生計をたてるための飼育なら、メスばかりで、オスは種牛のほか育てないことも、また貧しい村の叡智の結果であろう。牛は大切にされ、村の娘よりも牛はかわいがられる。娘は牛に奉仕する。娘はそれを永年経験して、牛のための草刈りの労働より、アタシも牛になった方が楽だ、となげくのである。

急斜面の畑を上り下りして働くのが女の専業だときめられた以上、そこに一種の反抗が起こるのも当然であったろう。この貧しい、三崎半島の生活より、たのしいと思われる仕事を求めて女たちは毎年、出稼ぎにでかける。いや、男も気持ちは同じである。

この三崎半島の港々では、こうして、だいぶ前から、集落ごとに出稼ぎの行く先がきまった。三崎海士と呼ばれる逞《たくま》しい漁師たちは、宇和島の不漁にあいそをつかすと、すぐ朝鮮まで遠征した時期がある。神《こう》崎の男たちは大阪の此花《このはな》区で大林組の大工《だいく》になる口を見つけた。釜木の男たちは昔から松山郊外の郡中《ぐんちゅう》へ米搗《つ》きにやとわれていった。四ッ浜村の大久《おおく》の男は船員の職を見つけ、女は女工や女中奉公にでた。松と上倉《あげくら》の人々は対岸の九州へ渡って櫨《はぜ》とりをした。山上の孤立集落の淋《さび》しさをかこつ名取の村人は、その孤独感をもったまま宮崎や山口の山に入って樵夫《しょうふ》になった。

すべて、当世流にいえば、村ごとに就職のコネクションを求めて、毎年のように出かけていったのである。

佐田岬にはすでにだいぶ前から人口の飽和状態が来ているのである。思うに、ここも日本の縮図であった。

とぼしい地力と、不時の不漁、ここでも切実に村人が求めているのは、都会と同様に安定性のある就職へのコネクションであった。そして、そのコネクションの最大のものは、かつて、三机、真穴《まあな》、伊方《いかた》などの村人が成功したように、密航という手段でなしに、太平洋を渡り、サンフランシスコにたどり着き、シアトルで一旗あげて、錦を着て、ふたたび帰ることである。宇和海に面した穴井では「アメリカ講」がさかんだ、と聞いた。

地図上に描かれた岬の姿は小さかったが、そこに住む漁民の夢は大きかった。

初出：『旅』一九五七（昭和三二）年七月号

日高路の果て・襟裳岬

——開拓民の連帯感——

1

日高路は北海道でも地の果てに沿う長い海岸線で、まるでいつの季節も、霧でつつまれているようだ。阿寒をあこがれた人が、霧の屈斜路湖《くっしゃろ》を見て失望して帰ってくることがあるが、濃霧《ガス》に出会わなければこの風土の真髄に触れたことにはならない、といわんばかりな感じさえする。実際には霧のない日もあるのだが、私の訪れた早春の日高路も、深い霧の中から太陽が昇った。にぶい曇り日のひかりだ。日高は北海道でも太平洋に突き出た南端であるのに、「日高」の文字が想像させるように、太陽は頭上高く、遠い。日高は海にのぞんだ原野のくにだ。

北国には稀《まれ》な札幌という大都会もあるが、この街でさえ一歩郊外へ出れば、もうあたりは一面の見渡すかぎりの原野だ。こうした原野は泥炭地と名づけられている。汽

日高本線の終着駅・様似の海岸

車はいくら走っても、車窓の風景は変わらない。勇払《ゆうふつ》原野と呼ばれる千歳《ちとせ》飛行場につづく大平原は日本にも稀といわれる直線のレールを何キロか伸ばして苫小牧《とまこまい》の町とむすばれているが、地平線まで人家ひとつ見えない湿原のひろがりである。単調な風景を時折やぶる存在は、駅だけである。北海道では土地があっても人手が足りないことがよくわかる。泥炭地にしても、北海道だけにある特殊土壌ではないが、内地のものに較べてあまりにも泥炭層が深いので、人間の手で手なずけることが容易ではないのである。五メートルも、六メートルも、深い泥炭層がいつの間にかでき上がってしまったのも、湿地に生えた樹木が倒れても分解するだけの地熱がなかったことを示している。北海道には太陽光線が不足している、と私は思ったが、苫小牧で乗り換えて走りつづける日高本線の左右も、同じような泥炭地の連続といってよかった。自然の絶え間ない活動力に人間の努力が追いつかないのだろう。「客土」という新しい土を運んでくる方法が石狩平野をやっと穀倉地帯に変えさせたが、この勇払原野はいまだに、春なお冬を想わせる寒々とした風景である。

だが、北海道の素顔はこれだ。初夏の北海道だけを見る人には、この北辺の風土の本当のよろこびやかなしみが理解できまい。北海道の最良の季節は実にみじかいのだ。冬は夏に直結し、春は夏と同時にやって来て、杏《あんず》と桃と桜は同時に花ひらき、雪を消

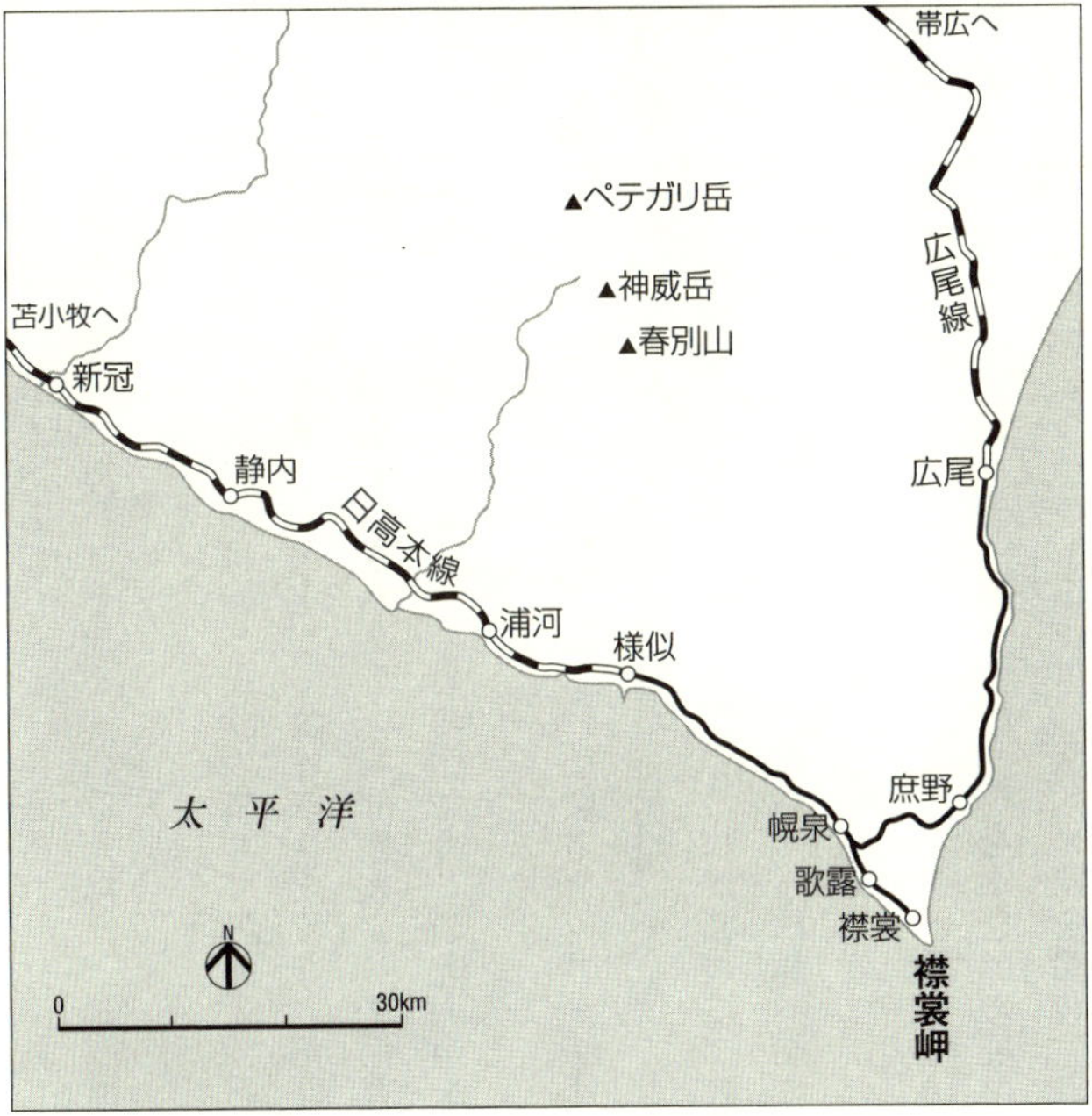
帯広へ
ペテガリ岳
神威岳
春別山
広尾線
苫小牧へ
新冠
静内
日高本線
浦河
様似
広尾
庶野
幌泉
歌露
襟裳
襟裳岬
太平洋
N
0
30km

した夏はまた期間のみじかい秋をさしはさんで、ふたたび冬に直結してゆく。札幌の街路にアカシアの香りただようころだけを知っている人には、北海道を語る資格はないようだ。

しかし、なにも私は人間の苦労の面ばかりを誇大視して考えようとするのではない。ただ、どんな風土でもけっして不当に美化して受け取りたくないだけである。「開拓」という言葉を「苦闘」という表現とおきかえて、局部拡大する主張者に与する気持ちもなく、あるがままに、色眼鏡を通さずに、私の眼で今この北海道を見たいと、はるばるやって来た。

たとえば、北海道へゆくにしても、飛行機という乗物を利用すれば、東京からわずか三時間で飛ぶこともできるのだが、私は上野から二昼夜をかけて走る汽車の方をえらんで、北海道という離れ島の遙かさを味わった。これは旅人にこの北辺の国までの距離感を錯覚なしに理解させてくれるばかりか、青森から函館へ船で渡れば、人はそこで、ここが陸続きではないこと、そして、すでに歩いては帰れないのだという実感を否応なしに受け取ることができるからだ。そして、さらに函館から北上する列車の窓から、窓外を眺めてゆけば、目にうつるものは、雪をかむった純白の山と、それを時折いろどる枯木ばかりで、ニセコアンヌプリの豪雪地帯を目にすれば、人は脚下に二条のレールがあることもつい忘れて、一体この先に大きな都会が現われるのだろうか、と半ば不安な気持ちで、霧におおわれた津軽海峡を想い出してみるにちがいない。

原野に住む人々はだまって眠っているかのようだ。いたずらに抵抗するよりも、自らの未来を夢想する内省のひとときを味わうことの意義を知っているようにさえ思える。人はそこに住んでいるのだろうが、姿は見せない。それならば旅人の方から敢然と雪を分けて原野に眠る人々の家を訪れなくてはならない。どの家を訪れても、ストーブの火が赤々と燃えている。そして、そこに住む人々は、じっと冬の室内の炎を見つめながら、言葉少なにやがてくる季節の労働を細々と語るが、おそらく、こうした休息に似たひとときに、人はもっともよく自らの住む風土の良さと悪さを知るにちがいない。ある若者は五年計画の希望を抱いて勇躍この未開の大地へ渡ってくる。ある夫婦は幼児を一人ともなって、十年計画で一財産をつくろうと夢見て津軽海峡を渡る。だが、やがて一年のうちの約三分の二が完全に活動力を奪われた「冬」であることを知って、大きな失望を感じはじめる。一年目はまだいい。二年目、三年目に希望がもてるからだ。しかし、五年目を迎えるころからは、あるあきらめが生まれる。彼等はそれによって、開拓生活というものが砂金を掘りあてるような行為とちがうことをしみじみと知るのだ。意志強固な者だけが勝つ。大地は手なずけるのに時間がかかるのである。

原生林か、泥炭地、人は何《いず》れかに取り組まねばならない。日高路の場合も同じだ。ここは北海道でも南部の一隅《いちぐう》ならば、網走《あばしり》や釧路《くしろ》のような地の果ての淋《さび》しさはないにしても、日高路の突端は人も知る襟裳《えりも》岬となって、太平洋に突き出て終わる。苫小牧からこの岬までざっと一五〇キロはある。襟裳岬に生きる孤独感は、ある意味で稚内《わっかない》や根室よりも濃厚だ。それはこの岬まで鉄道が伸びていないこと、終着駅の様似《さまに》はまだ日高路の途中で、人はどうしてもそれからバスで長い海辺を忠実に伝わらなければならないからだ。海辺といっても穏やかな砂浜ではなく、切り立った屏風《びょうぶ》のような岩のふちを波に打たれながらたどらねばならない。

地図を何枚かつないで行先を案ずる私は、こうしてやっとたどり着く襟裳岬がまだおそらく深い根雪でおおわれていることを想像して、はたして純白な灯台が地の果てに期待どおりの鮮明さで現われてくれるだろうか、とひとしきり案じた。襟裳岬までたどり着いても、十勝のくにへ出ることができるかどうかも予測がつかない。太平洋に突き出た岬の果てまで行けば道はふたたび北上して絶壁にちかい海辺に沿ってバスが走ってくれるのだが、そこは黄金《おうごん》道路と呼ばれる北海道最大の難路である。難路というよりも、波が岩を嚙むすさまじさでぶつかる海岸線で、永いあいだ、道がつくれず、つくりあげたときにはあまりにも人命の犠牲が大きかったために、それを記念して「黄金道路」と呼ぶようにしたと伝えられる海辺なのだ。襟裳岬の頸部《けいぶ》にあたる百人浜の名も、難破した漁船が打ちあげられて、一度に死んだ不幸を葬って生まれた地名だとされている。黄金道路はそこから帯広《おびひろ》の方へ向かって一筋に走っている。しかし、堅い安山岩をくりぬいたトンネルの連続で、トンネルとトンネルのあいだではバスの車体が冷たい荒浪を頭からかぶって、しけの日は雪解けの崖道がバスに抵抗して運転手を不安におちいらせる。黄金道路の名を北海道随一の「観光道路」の別称にしてみせてくれるのは、六月から八月までの三ヵ月でしかない。早春の黄金道路はおそらく人間もバスも寄せつけず、風波にさらされているにちがいないと思えた。

それにしても、この日高路の開幕は淋しすぎる。苫小牧を出る四輛連結のローカル線ののろさ。やはり、車窓の外には、相変わらず人家は見えず、右手にやがて太平洋の青黒い水平線がのぞき出しても、それはそのまま少しも窓からの構図を変わらずに見せつづけ、左手は黄褐色にぬりつぶされた原野の風景をいつまでものぞかせたままだ。色彩を旅情のひとつに求めようとする人には、ここは絶望的な風景だ。同時に、徒歩旅行を好む彷徨者にとっても、耐えがたい単調さである。だが、それにしても、車窓から風景を鑑賞しようとする客が乗っていないことを承知しているのならば、なぜもう少し速く走らないのか、とさすがの私をいらだたせるほど、この日高本線はまるでカタツムリのようなのろさでしか走らなかった。一駅ごとに十五分は停車し、そのたびに、都会からはるばるやって来た一旅行者は、「時間」というものについての既成概念を反省させられた。時間とはひとつの行為のために必要なものだとは知っていたが、汽車という乗物が、時間をもてあました冬の農民にとっては、安価で暖かな談笑の場だと考えられていることを知らなかった旅行者は、その時代感覚を無視したスピードに、北海道の生活意識を再認識したのである。

思うに、冬の北海道には、浪費するための「時間」はあったが、生産のための「時間」はなく、冬はすべて一刻も早く見送られるべき物理的時間にすぎなかったのである。そして、汽車とは、一時間九〇キロを誇り得る文明時代の乗物としてではなく、ストーブをのせたメリー・ゴー・ラウンドだと思われた。

2

この私の観察にあやまりはなく、日高本線の煤《すす》けた客車内はまさにひとつのなごやかな談論場であった。なぜなら、入れかわり立ちかわり乗り降りする人々はたがいに未知であっても、そのあいだにはいわゆる意志表示を阻害する「方言」がなく、等しく、はるばる北海道へ渡ってきて生活を定着させた内地人という親近感と、たとえ二世ではあっても、生まれは同じ本州であるという開拓民意識が、相手をたちまち同じ生活環境の話題に誘いいれ、そこには少しばかりの階級意識も感じさせないのである。

窓をあけると、たちまち、右側の海から吹き上げる太平洋の潮風が車内を寒くする。人々はそんな心知らずの旅行者を横目でじろりと眺め、それでも何も言わずに、ひとりずつ、車内の中央にあるストーブの傍へ集まってゆき、いつの間にか、そこがひとつの談話室となった。

「またガスがおりているのう。吹雪になったな」

「出面《でめん》も楽じゃねえよ」

「仕方ねえさ」

出面も楽じゃない、と言ってストーブの前にやってきたのは、逞《たくま》しい三十ほどの男であった。

出面とは日雇いのことだ。冬は出面に出かけねばならない人たちばかりである。貧しい新参の開拓者にとっては、冬もけっして休養の季節ではなかったのである。

それでも、さっき乗りこんできたひとりの男は、この日高路に雪が少ないのをよろこび、旭川はもっとひどいぜ、と歯ぎれのいい標準語で話しかけながら、私の隣の座席に座ったが、

「馬だって気の毒よ。ひでえシバレじゃねえか。これじゃ人間さまでも手袋が足りねえよ」と泣言を言った。その表情から察して、彼はおそらく、馬を相手に一年を過ごす日高の男だったのだろう。冬の寒さをしきりに彼は嘆いた。はげしい寒さを「シバレ」というのも、痛いくらいの冷たさが身体をしばりつけるような気を起こさせるところから生まれた独特な北海道弁だと思われた。

「おまえの手袋、やぶれているじゃあねえか。しゃっこいわけさ」と傍の男から言われて、彼は汚れた手袋をぬいだ。たしかに、外は少しずつ吹雪がつよまり、様似の駅に近づくと駅名板も判然と読めなくなるほどのはげしさを加えていた。

3

日高本線の終着駅、様似も雪に埋もれた季節には、そんな堪えがたい寂寥《せきりょう》感がた

だよっている。苫小牧からの距離を東海道線になおしてみれば、東京から静岡までよりはるかに近いのに、なんと、汽車は七時間をかけて走るのである。つまりひと駅ごとに十五分も停まるのだ。乗ろうと歩こうと、いつでも、旅そのものを味わうことに絶大なよろこびを感じる私だが、かたつむりのような汽車には堪えがたかった。それでも、この日高本線に乗る日高路の人々の顔には少しの退屈さも感じられない。彼等はレールがひかれていることだけで、充分満足を感じているのであろう。たとえば、静内《しずない》という日高路の中心をなす町まで遊びに行ったり、用事をもって出かけるのには、たとえ隣の駅からでも相当な時間が費されるが、北海道の僻地では時間の単位も一桁ちがうのである。人生における行為をあせって処理してゆこうとする人間には、この風土はつきあってくれない。時間の集積されたものが一日であるという概念は通用せず、一生を七十年と考えたならば、一年はその七十分の一と考えなければいけないのである。

みじかい春の季節を内地同様に過ごそうとするならば、冬の後半を春にくり入れなければならないのも当然である。たとえば、あの野菜の温床づくりという作業がある。苗を内地同様の大きさに育てるためには、こうした寒中作業が冷たい降雪期のうちからはじめられるのだ。日光の当たるところをえらんで、雪の上に砂や土をかけて、できるだけ早く解かそうと努力し、雪を切りとって馬橇に積んで川へ捨てにゆく。

春近し、のきざしを感じると、農民たちは急に冬眠から目をさましたように、この温床づくりに狂奔する。まったくくるったように行動を開始するといっていい。温床のなかには黙々として種子をおろす子供がいたり、ジョウロで水をまく老婦がいたりする。そして、五月の声を聞くころ、やっとそれらの野菜の苗がすっくりと立つ。

私の訪れたこの季節の日高路もこうした雪解かしに必死になる人々の姿を見せていた。三月も十五日をすぎると、温床の障子が二百枚、三百枚と並びはじめ、馬はやっとみどりの笹の葉が雪からのぞくのを見て狂喜する。馬たちも冬はくるしいのだ。深雪期には放牧の馬も空腹をなげく。彼等は雪からのぞく笹をあさるが、笹も埋まった厳冬期では仕方なく飼主が樹をたおして食べさせてやる。そんなとき、馬は、太い枝までガツガツと食べてしまうのである。

だが、そうしたくるしみと闘ってきた馬だけが本当の駿馬《しゅんめ》となるのだ、と静内の馬主は語った。ここは日本でももっとも優秀な競走馬を育ててきたところだ。日本ダービーのホープはたいていこの静内付近から出ている。新冠《にいかっぷ》といえば、人も知る大きな御料牧場だが、ここだけでも、馬と生活する四千人の人々がひそんでいる。

一見、沈黙の雪世界とみえる私の視野にも、実は、こうした「千里の馬」を夢見る人々の生活がやがてくる春をじっと待っているのである。

　この日高路の馬が駿馬であることには風土的な理由もある。ここは北海道全域のなかでも、比較的あたたかな太平洋岸である。羊蹄《ようてい》山を中心とする胆振《いぶり》の山々でさえぎられる西北季節風はここに大雪を降らすことがない。だから、ここは北海道では唯一の梅雨現象のある地域である。梅雨のない北海道の六月は、もっとも欣《よろこ》ばしい春の季節とされているが、日高路だけには内地と同じに梅雨が降り、それがカルシウムをたっぷりふくんだ牧草をすくすくと育ててきたのである。

　私は様似のわびしい宿屋の一室で、ストーブにあたりながら、馬の躍動する春の牧場を夢想していた。人間はやはりある輝かしい時期のために永い苦闘の時間をもたなければならないということ、それはこまかく刻んだ時間を切り売りして生きてゆく私のような都会人への貴重な反省のひとときとなった。

4

　こうしていよいよ日高路の最果て――襟裳岬へと私は近づいていった。大地の果てが突如として屏風のような絶壁に変貌し、海に落ちこむその崖上に、真っ白な灯台のある風景。私はそんなすばらしい絵画的な一瞬を夢想した。過去に幾度か胸に描いた襟裳岬の風景には私の好むみどりの色彩と、碧色の海があり、それを一層ひきたてる純白な灯台が配されていた。

しかし、現実の襟裳岬は深い霧の朝とともにはじまった。終着駅様似からさらに二日もかかるこの岬への距離にまず私は予想を裏切られたばかりか、夢に描いた風景は霧という半透明な灰色に塗りつぶされていた。

バスを二時間も走らせて着いた幌泉《ほろいずみ》の町でまず霧の一夜を明かさなければならなかったが、これはあかるい色彩を好む私にはまったく不本意であった。その上、宿の女将はそんな失望の色をたたえた私に、バスが雪害《せつがい》で岬へゆきそうもないことを知らせた。私は二度失望した。とにかく行ってみよう、とてもひき返す気持ちにはなれなかった。地の果て——とは妙なものである。どうして、こうも地の果てのような山の頂や岬の尖端《せんたん》にあこがれるのだろう——と半ば自分に質し、一方ではバスが途中で止まれば歩いてでも行こうとする自分の気持を力強くはげましてみた。

しかし、霧の中を分けてよたよたと進むバスは一時間も走ると、雪解けに軟化した道路に弄ろうされて、ついに岬の手前で立往生した。乗客は一瞬、前途の不安をおぼえた。それでも、彼等十数人の村人は、けっして都会の乗客にありがちな不平をもらさず、互いに一瞬、顔を見合わせたが、同情は運転手に対してよりも、バス自体に寄せられたのにはおどろいた。思うに、彼等はバスがこんな地の果てまで走ってくれること自体に絶大な感謝の気持ちをもっていたのだろう。乗客はやがておとなしく椅子の上で新聞をひろげたり、弁当をひらいて、不平ひとつ言わずに動かぬバスを絶好の談笑場に変えはじめたが、それは、あの日高線の車中で私が見た情景とまったく同じだった。私はすでに習いおぼえたこの「時間の考え方」に素直に妥協し、つまらぬ抵抗や不満感はさらりとすてて、おもむろにバスの外に降り立った。

雪解けのぬかるみにはまりこんでバスが身動きできなくなったこの突然のアクシデントはしかし、なんという絶好な風景鑑賞のひとときを与えてくれたことだろう。この霧の岬の一地点はまさにはじめて見る新鮮な風景にとりまかれていた。それは少なくともこの北海道の風土のなかでなければ見られない独特の灰色の色彩と、この季節でなければ感じることのできない寒々とした気温につつまれていた。そして、夢に描いた絵のような襟裳岬は私の眼の前でゆっくりと構図と色彩をかえてゆき、やがて、これが本当の襟裳岬だ、という実感に到着した。黄褐色の丘のつらなり、そこは歌露《うたろ》と呼ばれる小さな開拓村のはずれであった。人体の凹凸のようないくつかの窪地をもつひろやかな丘のつらなりは、雪をやっと解かしはじめたばかりであり、その黄褐色の丘が眼の前で碧い太平洋に落ちこんで、その岸辺にたった一軒の開拓農家があった。その家はクリスマス・カードに出てくる山小屋のような姿で周辺の雪を解かしてひっそりと建ち、その丘全部が庭ともみえるそのゆたかさは、少なくとも内地には見られない風景であった。ここでは家は放牧の牛馬のために建てられ、けっして岸に並んで海と相対してはいなかった。その暖かみのない黄褐色の丘の上を、孤独な緬羊がたった一頭、首をうなだれて散歩していた。だが、喰うべき青草もないこの早春の岬に生きるその緬羊は、不思議なほどたっぷりと暖かな毛をつけてまるまると太り、その一見孤独とみえる小動物を見ているうちに、この活気のない大地と生気にみちた緬羊の対比がいかにも北海道の素顔であることに気づいた。私は思わずカメラのシャッターを切った。

そうしたあいだも、幾度かの運転手の努力は水泡に帰し、バスは約二時間の立往生をつづけた。このときほど、私は北海道の人の気の長さに敬意を感じたことはない。彼等はバスの中の暖かいことを充分に知っていて、けっして私のように散歩はせず、互いに知らぬ者同士でたのしく世間噺《ばなし》を提供しあった。北海道には方言のないことをしみじみと感じ、開拓という行為のために渡道してきた人々の心のつながりの強さが

襟裳岬にほど近い歌露の集落

わかるようであった。彼等は北海道のなかでも、もっとも果ての地を求めて等しく移住してきたという過去をもち、その過去が現在までつづいていることに、共通の親近感を感じ合っていたのだろう。日高本線のある駅の助役は言った――「こんなところまできて住むというのも、けっしてはじめからの希望ではなかったんです。一年ぐらいは辛抱しようと思い、二年経ち、三年は我慢しようと自分に言い聞かせているうちに、いつの間にか、五年、十年と経ち、こうして、五十ちかくになってしまいました」。それは開拓民ではなく、駅から駅へ移動して生きてきた初老の助役のしみじみとした述懐だった。

そして、遂に、灯台は見えなかった。私の乗ったバスは二時間の立往生を克服して、よたよたと雪解けの岬を走って、襟裳の岬の尖端近くまで走ったが、最後の高みで、ついに再度の立往生をした。

灯台の下にある襟裳の集落まで帰るというひとりの少年が私に親切に岬の彼方を指さした。彼は東京からはるばるやって来た旅行者へできるだけの愛情を示すように、あの位置が岬の尖端だ、と指さしたが、そこには茫洋とした霧があるばかりだった。

「歩いてゆけば、あの位置にちゃんと立派な白い灯台があるんですよ」

と彼は手で灯台の形をつくりながら、再度繰り返し教えてくれた。約一キロ先のと

晴れた日の襟裳岬

ころでこの岬は突然、太平洋に落ちこみ、そのぎりぎりの端のところに、純白な大きい灯台が立っている。晴れていれば、すばらしい眺めにちがいない。私はその灯台と岬が青い太平洋の水平線を背景に、美しいひとつの構図をつくる瞬間を想像してみた。

少年は私をみちびくように先になって歩きはじめ、幾度も、「ちょうどあの位置に……」とはるばる来た旅行者を失望させたくない気持ちを示した。その好意に感謝した。しかし、やはり行く手には深い霧のほかは何も見えなかった。少年は仕方なく、

「初夏にいらっしゃればよかったのに。どうして今ごろいらっしゃったんです？」

と、とうとう、気まぐれな季節はずれの旅行者の心をなじった。しかし、この岬の尖端にもこうした他人の気持ちを理解しようとする少年のいたことを率直によろこんだ。私は少年とともに歩きながら、霧の去った襟裳岬の初夏の明るい色彩を心の中でつくりあげてみていた。

やがて見えてくる筈の灯台の大きさがどのくらいであろうか、と私は厖大な灰色の視界の中で想像をたくましくしていた。

もうあこがれの灯台まではわずかである。私は遂に、地の果てに来たのだ。山の頂に着こうとする瞬間にいつも感ずるあのなんともいえないエクスタシーが、私の体内に湧きはじめていた。

そのときである。私のあとを追いかけてきた運転手が、雪のために、すぐ引き返すことを告げ、もう明日から当分バスは動かないから、今の車で帰った方がいいと忠告したのである。

私はあきらめきれない面持ちで、一瞬、岬の一角をにらんだが、運転手の提案に従わざるを得なかった。少年の顔に浮かんだ複雑な微笑をふりかえりながら、「灯台はあの位置に大きく立派に立っているんだね」と名残惜《なごりお》しさを隠さずに別れを告げた。少年は、もう一度私をふりかえり、「あのあたりに立っているんですよ」と繰り返した。

こうして最後の一歩手前で、やむなく足を返したが、しかし、あの三月の襟裳岬の一情景を、忘れることはできない。私の記憶のなかでは、灯台は、ひとりの少年の微笑とともに、真っ白な巨大な姿を見せて、霧の中に、すっきりと背を伸ばしているからである。

取材：一九五五（昭和三〇）年

四国の果て・足摺岬

――憧憬者の心境――

1

そこは四国の地の果てで、花崗岩《かこうがん》の絶壁が八〇メートルほどの直立した岩肌を見せて太平洋の波に洗われている。見下ろすと眼もくらむようなその崖上に私はいま立っている。やっと来た、という感じがあった。実に長い旅であった。まさかこんなにかかる僻地《へきち》だとは思わなかった。高知から窪川《くぼかわ》という終着駅までが三時間、それからバスを二度乗り継いで、三日目にやっとここへたどり着いた。窪川からざっと一〇〇キロはある。一〇〇キロといえば、東京から熱海にゆく距離である。だが、このバスの走る四国の果ては、伊豆とはちがう。窪川を伊豆の入口の三島の町にたとえるなら、この足摺《あしずり》岬への道は天城《あまぎ》峠のような高みを二度ほど越え、下田までの二倍にちかい距離をバスに乗りつづけるのである。そこに石廊《いろう》崎のような地形で立体的な大地の末端

足摺岬の絶壁

が太平洋に突き出ているが、正確に表現するなら、その岬は半島の付け根からさらに一里も伸びている。

ここで、まさに四国は終わっている。という実感のなかには、実は、東京から北海道へゆくよりも遠いという距離感があった。

汽車には絶対疲れないという自信のある私にもさすがに疲労感があった。窪川に着いて夕暮を迎えた私は、いつものように、場当たりに宿泊地を決めてゆく方がたのしいという気持ちで、しばし駅前のバスに乗りかねて、こんな町へ泊まってみてもわるくはないな、と思いながら、「土佐中村ゆき間もなく発車」のアナウンスを聞き流していたが、「あなた、中村へ泊まられた方がいいですよ」という未知の男から親切な声を突然背後からかけられ、ふらふらとバスに乗りこんだのだ。バスは土佐湾にそって、海を見せはじめた。私の手にしている五万分の一の地図がそうした地形の変化を忠実に暗示し、海が黄金色に輝く漁村の日没を車窓から見て、そこが佐賀という名であることを知り、中村に着くのはだいたい午後九時ごろであろう、という推定も成り立った。そして中村に一泊。

しかし、中村から足摺岬まではさらにバスに乗って、約半日はかかることを知ったとき、土佐清水は当然翌日の宿泊地とならざるを得なかった。そして清水に一泊。や

江川崎へ
佐賀町
上川口
入野の松原
中村
土佐湾
城辺
宿毛
伊豆田峠
下田
宿毛湾
下ノ加江
二ツ石
下川口
三崎
柏島
古満目
竜串
見残し
土佐清水
叶崎
足摺岬
N
0
10km

っと三日目に、バスは太平洋を見せてくれて、足摺岬を踏んだのだ。こうした僻地への長距離バスにおどろくのは、旅馴れた私のもつべき気持ちではなかったであろうが、窪川から伊予の終着駅宇和島がむすばれるのは、そう近い将来のことではなく、地元の人々の切な願いをよそにまず当分のあいだはバスが鉄道の代わりを便じて、この四国南西端一帯の山河をかけめぐる日がつづくのだとすれば、いっそ私は高知から汽船で土佐清水までゆく旅路をえらんでもよかったのである。しかし、それではこの果ての地の実感が減じるだろう。バスの女車掌は少しも疲れを見せず、三時間も走りつづけて胸苦しさを訴えはじめる乗客があれば、馴れた手つきでさっと網棚からアルマイトの桶や小さなバケツをとりだし、それを蒼白な表情の前へあてがい、自らは少しもそれを見ずに、片手で支柱をつかまえ「次は伊豆田峠、お降りの方はいらっしゃいませんか」と晴れ晴れしい顔付きで澄んだ声をひびかせた。この風景は、私が高知から船で渡るという手段をえらべば接することはできなかったであろう。そして、この二十とは見えぬ若い少女車掌の肉体的疲労も立ちづめ五時間という長さならば、嘔吐をもよおす老婆に対してよりも、同情はこの方にむけられてもよかった。

少女が連呼した伊豆田峠は羊腸の急坂で、バスは息を切らせて細長い身体をひきずった。運転手は真剣な表情で前方を見つめ、車掌はすれ違いの車に終始注意をはらい、ラジオをかけてほしいという乗客の希望が寄せられても、運転手の神経集中をさまたげるといって、あっさりと拒絶した。そして片方の手を相変わらず嘔吐を催す老婆の口の前に差出して、彼女は不安定な身体で桶《おけ》をささえていた。

2

中村——そこは、高知県でも、高知市に次ぐ人口をもつ街といわれる。かねてここは、土佐の京都という異名があると聞いていた。しかし、バスが四万十《しまんと》川を渡ってぴたりと停まったその街の中央部は、メイン・ストリートというよりも、郊外のような淋《さび》しさであった。古さなど少しもないまるで戦後派そのもののような幅広い街路。「山紫水明《さんしすいめい》」という表現は偽《いつわ》りだとしか思えなかったが、考えてみればこの街は僻地でありながら、あまりにも空襲コースの線上に近すぎたのだ。足摺岬から真北へ三〇キロ、戦争たけなわのころには敵機がこの街の上空を通らないことはなかった。土佐の京都と呼ばれ、事実、かつての城主が京都を真似して直交式街道をつくり、一条通り、祇園通り、京町、愛宕山、東山、鴨川などと名をつけて、高知に次ぐ美しい都市を築き上げたことは、たしかだったが、少しの同情も示さずに、戦争は遠慮なくこんな果ての地の街まで焼きはらった。私の泊まった宿のかたわらでは、大きな丘を切りくずして、立ちおくれた努力をみせながら、市庁舎を建てていた。「一条神社」といえば、この街の人が自慢する存在であることは知っていたが、しかし、いま見る中村の街の風景は京都の街のひと握りほどの大きさしかなく、その真ん中に位置する一条神社などは、かえって、この街の邪魔になる存在のようだ、という同情心の方が先に立って、街の人にはわるいが、味わうに足る風情はない街とあっさり断定して、私は清水の町に別の期待をかけた。

土佐清水――ここは中村とちがって太平洋に面した港町である。ここまで来てやっと、私の旅路に、期待どおりの南国らしいあかるさがとりまきはじめた。中村まで三時間、そこからさらに、四時間のバス、清水へ来て、はじめて磯の香りを嗅いだ。足摺岬と書かれたバスは、中村からも出ていたが、ここではじめて、足摺岬は、その入口に近づいたという感じがする。

鰹節《かつおぶし》を街路にほした風景、屋根をこえて吹いてくる潮風、色とりどりに並んだ漁船、それらをとりまく空の色、そんな港町を私はなにかすでに見たような記憶を呼びさまされたが、やがて空が少しずつ曇りはじめ、風が突然雨足を叩いて、頭上がいくらか光度を失いかけたとき、その風景が、ひとつの小説の描写につながっていたことを想い出した。その本は私の背中のリュックサックの中に入っていた。

「私は机も蒲団《ふとん》も持っているかぎりをたたき売ってふらふらと死に場所にえらんだ足摺岬に辿《たど》りついた。ちょうど梅雨のころであった。田舎びた乗合の馬車を降りた私の顔を横なぐりの雨が痛いように殴りつけたことを私は今もはっきりと思い出す。……清水というのはその淋しい町並の名であった。戸数、四、五百、人口にして二、三千人あるだろうか」

と書かれた一節は、田宮虎彦の『足摺岬』という小説である。これは大正時代の話である。いま見る清水の町には乗合馬車はなく、バスは他地なみに大型であり、まだ春には遠い今の季節では遍路の姿も見あたらない。小説と同じ情景があるとすれば、足摺岬という地の果てが、今もその当時と同じように「自殺の名所」だということであった。一夜を求めた清水の宿でそれを実証する事実に私はぶつかった。宿の一室で明日の天気図をにらみ明日見る岬についての地形や風景を書物で調べていたとき突然、障子の外から声をかけられ、未知の若い男の訪問を受けた。その男は私が小説家だと思ったのであろうか、自分は旅廻りの劇団に属して、その台本を書く役目の人間だと語り、自殺する男女をテーマとして劇を書きたいと思って今日足摺岬へ行ってきたところだが、どうも自分にはうまく書けないから、なんとか、協力してもらえないか、と自分が写っている一枚の舞台写真を見せた。

その青年は、自分の今日の行動を勝手に話しはじめたが、同伴者なしに岬の旅館へ行き、そこで二時間ほど休ませてくれ、とちょっと空虚な表情で頼み、部屋にひとりで閉じこもったまま半日もじっとしていた、というのである。彼はこの清水の町からほど遠くない漁村の生まれで、顔には善意がみちていたが、彼がとった行動は相当皮肉なもので、こうして、半日じっと部屋に閉じこもっていると、かならず、岬の旅館の人は不審に思い、永年の経験から、その男を自殺者だと推定して、時を見はからって地元の警察へ電話をかけ、やがて、突然自分の部屋が臨検されることを計算に入れていたのである。彼は笑って言った。

「こんなに苦労して僕は自殺者そのものの気持ちになってみようとしたんですがね。結局、なにも書けそうもありません」

それから私にぜひ自殺者をテーマにした台本を書いてくれ、と執拗に言い、なるべく早く上演しようと思っているのだから、と自分の住所を書き、ストーリーだけでもよいから、とバスに乗ろうとする私に、原稿用紙を押しつけた。

人は自殺にどうしてそれほどの興味を抱くのか、私にはわからない。旅をする気持ちは少なくとも生きていることのたのしさだ。地の果てである岬が自殺の舞台になることに私は納得がいかない。やはり『足摺岬』という小説の影響であろう。『伊豆の踊子』という小説は、伊豆へ多くの学生をいざない、作者とは無縁な多くの若者に記念すべき青春の旅をもたせたが、『足摺岬』はそれ以来、数多くの自殺者をこの岬へいざなっている。あの小説はあまりにも暗い。作者の青春が暗かったにちがいないが、現実の足摺岬や清水の町はけっしてそんなに暗くはない。どちらかといえば、あかるいのだ。暗いのは青春の方であり、この土佐の突端は日本でも南国というべきあかるい風土だ。「理科年表」をひらけば、足摺岬の晴天日数は六月こそ少ないが、一月で十七日、二月でも十三日、冬も雪の降る日はない。青春をこの岬へいざなうものは、風土の暗さではなく、小説のなかに描かれた足摺岬のイメージなのだろう。作者は偶然にこの岬をえらんだにすぎない。その証拠に、田宮虎彦氏はこの岬へ来たことはない。私は直接氏の口からその事実を聞いた。氏は他の岬よりも、ここが如何にも不便な地の果てにちがいないと想像し、ここならば自殺者がゆきそうなところと、ふと考えただけのことである。氏は自らそう言った。しかし、作者の意図に反して、かつて、菊池幽芳《きくちゆうほう》の小説は房総の岬へ読者をいざない、近くは、天城心中が伊豆の山を暗いものにした。自殺者はその土地土地にあたかもあこがれるように、そこを死に場所にえらぶ。私にいわせれば、それは自殺者の見栄である。死ぬのなら場所をえらぶ必要はないと思われるのに、不思議と自殺者はある風景のなかに自分を投入させようと夢想する。自殺者はたいてい自意識過剰である。その自意識が死と競争して死に負ければ、彼は跳び込む。ここで死んだという馬鹿馬鹿しい記憶だけを残して——。

しかし、もっと演技過剰な人間もいる。私が足摺岬へ着いたその日、岬の旅館は、一人の生々しい自殺未遂者の話題でにぎわっていた。それは十七歳ほどの女子高校生であった。彼女は岬の旅館へ泊まらず、ひとり岬へむかって歩いてゆき、やがて灯台がすぐ右手に見える最後の崖上であたりを見廻し、傍らに人がいたことを確認した瞬間、身を投げた。はるばるここまでやって来ていま死ぬのだ。これを確認してくれている人がいることをひそかに望んだのだろう。これで来た甲斐があった、——おそらくそんな気持ちから、彼女は跳び込んだのであろう。

しかし、自意識が邪魔したのか、結果は不成功に終わった。途中で樹にひっかかり、身体は海に達しなかった、と灯台の人は言った。「どうせ跳び込むのなら旅館へも泊まらず、バスで降りてすぐ身投げしてくれればいい。あとで探すのでは大変ですからねえ」

幾度かの空襲で人間の生命の貴重さを身にしみて感じていた中年の吏員は、小説をうらむような口吻《くちぶり》でそう言った。

足摺岬は清水の町からバスで一時間、花崗岩の絶壁を青い太平洋の波に洗わせて突き出し、その上に白い灯台を置いている。『足摺岬』という小説を読んで自殺を思いつめた人も、このあかるさに接したら気持ちを変えそうに思える色彩である。バスは金剛福寺《こんごうふくじ》というお遍路さんの札所の前で、ぴたりと停まり、茶店の人は、たったひとりで岬へむかう私の後姿を不安気な眼で追い、一緒にバスを降りた老婆は岬とは反対の寺の中へ消えた。この寺が四国八十八ヵ所の第三十八番札所であった。このひとつ手前の三十七番札所といえば、窪川にある藤井山岩本寺で、そのあいだざっと二十五里、おそらく昔はこの二つの寺のあいだだけで三、四日はかけて歩いたのだろう。今日の乗物で考えてもバスで二日の旅だった。それだけに、この足摺岬までたどり着いて、死を考えるなどといったら、老いた遍路は説教でもするにちがいない。彼等にとってはこの岬が神聖な祈りの場なのだ。灯台に出る手前の叢にある、ゆるぎ石、亀ノ石、龍馬《りようま》笹、竜ノ駒、すべてそれらは信仰あつき遍路たちの祈りをこめた掌《てのひら》がふれて、今日まで、そこにおかれているのであろう。一見、つまらない岩である。岩が亀の形をしているというだけで、「亀ノ石」と呼ばれた単純な着想、大きくて動かなそうに見えて実は動くという「ゆるぎ石」にしても、非科学的な話である。しかし、今それらの七不思議を前にして笑う必要もない。

そこには弘法大師の超人的な存在が歴史を超えて記録されているのだろう。今日の時代にあって、遍路を実行する人々だけがこの非科学的な伝説を信じているとは思えない。遍路たちの頭脳をうたがうよりも、私は私なりの科学的な眼でこの岬の風物を見ることができればそれでいいのだ。

まず、その亀ノ石は風化されつくした石英粗面岩であろう。そしてその巨岩をとりまく青い亜熱帯樹の群はおそらく、ビロウとアコウとウバメガシであろう。それよりもっと簡単にわかることはこの岬が三つの段丘をなして、太平洋に落ちこんでいることだ。つまり、この岬は海から三回に亘《わた》って隆起してでき上がったのであろう。一口に岬といっても盛り上がってできたものと、大地が沈んでそこだけ残ったものとがある。この岬はたしかに隆起している。その証拠に深い入江はない。地図をひろげてみれば、この岬から西へ、宿毛《すくも》の湾へかかるところから急に入江ができていて、そこから宇和島にかけての海岸は、いわゆるリアス式海岸で、陸地の末端が沈んでできたものだということがわかる。

しかし、灯台を訪れてみればさらにこの岬のすべてがわかった。「足摺岬航路標式事務所」と書かれた白い建物はひっそりとしてまるで無人のように見えたが、入ると、

足摺岬突端に近い金剛福寺

そこには若い吏員がひとり機械を前にして座っていて、突然の訪問者を親切に迎えてくれた。私はまず今日の天候を聞いた。「只今は風向北風一二メートル、曇」と即座に答えて、しばらくレシーバーを手にしてアナウンスを繰り返していたが、やがて私の方へむきなおって、灯台の生活の一端を語ってくれた。

ここは一月の平均気温七・九度、二月が八・三度、このあたたかさは、奄美《あまみ》大島と鹿児島のちょうど中間であり、鹿児島の六・四度よりもはるかに高く、日本一の南国であることを示している。だが、よいことばかりではない。

この岬は室戸とならんで、日本一の台風の名所でもある。過去六十年間の記録が示す台風襲来率はこの高知県が二三パーセント、これは九州地方の二一パーセントよりも多く、ことに八月には五〇パーセントがこの土佐湾の上空をおそっている。

私はふと「喜びも悲しみも幾年月」という映画を想い出し、こんな僻地に生活する気持ちをたずねた。あの映画は一生のあいだに幾度か転勤をする灯台守の生活を、北は北海道から、南は九州の孤島までを舞台にして、その喜怒哀楽をえがいたものだ。もちろんその映画はこの足摺岬の人々にも異常な関心をひいていた。

永年つとめた灯台守は、灯台の生活が今もあの映画にえがかれたように機械化されていないと一般の人が思いこむのは困ると言い、現在の灯台はもっと合理化していて、点灯作業もすべて機械がやってくれていることを認識してほしいと訴えたが、若い吏員は、あの映画のお蔭で、嫁の候補者がいなくなるのではないか、と苦笑した。いずれも、灯台に住む人の声は、批判的であった。しかし、ああした映画が世に紹介されたこと自体には感謝し、あれ以来、足摺岬にも灯台の見学者がふえて、応対に忙しい日があると、うれしい悲鳴を語ることも忘れなかった。

映画でも小説でも、どこか強調されすぎる面があるのは致し方ないであろう。田宮さんの『足摺岬』にしても、あの映画にしても作者の意図と別な、あらたなものが読者や観客の側から生まれてくることがある。灯台守の生活はあれほど時代に遅れた苦しいものではない。——と足摺岬の人は言ったが、はたして孤島に立つ灯台の人はそう思うであろうか。ただ等しく悩むのは、わが児が育って学校へ通うときのことであるらしい。この岬のはしにも、子供を含めて二十人が生活している。清水までゆけば高等学校も、女学校もあるとはいえ、この岬に何年いるか、保証されていない。未来がつねにわが児のことに想いおよぶのは当然であったろう。

晴れた夜明けも、嵐の夜半も、この灯台は太平洋にむかって光を送り、まるで生き物のように、くるりくるりとそれを廻しながら、沖ゆく船に一縷の望みを与える。しかし、嵐の夜、沖を通る船が遭難しかけていても、その船を救援しにゆく義務を、灯台はもたない。無電装置はあるが、国際規約によって、必要以上の打電はゆるされていない。海上の船舶が送る救援信号だけは、すべて洩れなくキャッチできるだけである。

神戸に入港するあらゆる汽船はもとより、遠洋漁業にくり出す漁船もこの灯台から送られる光を一度はかならず、たよりにするのである。あの南海丸遭難の日、この岬の受信機にも刻々と通報が入った。只今の位置、小松島東方何浬《かいり》、只今の位置、沼島《ぬしま》の南東何浬、そして、一刻も早く救助艇を望む、という断末魔の叫びが入った。それはほとんど一分ごとに、まるで船の沈没状況を報告するかのように受信機をならしたという。

これを救う義務を負う海上保安庁の救援艇は遠くの港にあった。仕方なく、「付近漁船、至急南海丸の救援を乞う」という非常命令が出たが、当時の突風はあらゆる船が自らの生命に一喜一憂で、一隻《せき》も積極的に乗り出すものはなく、ついに南海丸は「今甲板に浸水す」という十何度目かの打電を最後に、沈んだが、その光景がまるで眼に浮かぶようだったと、若い無電技師は海を吹く風のおそろしさを強調した。

3

足摺岬を離れた私は、宇和島へむかう海岸線を見る気持ちになった。この四国の南西端は足摺岬から柏島までのあいだの太平洋岸が隆起してできた大地であり、それから先は、逆に大地が沈んで入江をつくっている。とすれば、風景は自らその境で違ったものとなるはずである。それは土佐清水からバスで西へ海岸を走るとき、現実の風景を差し出された形で実証されていった。清水からバスで五十分、そこに竜串《たつくし》、見残《みのこ》しという二つの岬がある。そしてこの風景が異色あるものと、かねがね聞かされ、せっかくここまで来てこれを見ないことは残念だという気持ちもあった。ここは、まだ隆起してできた海岸線の一部であり、入江はなく、ただ小さな松の生えた突起にすぎなかった。バスを降りたのは私ひとり、雨が降っていて、竜串の前の茶店には古びた飴《あめ》がガラスの中で光っていた。永いあいだ、人の訪れた気配はなく、茶店は半ば雨戸を立てて期待すべき客さえ拒絶しているかのようであった。仕方なく濡れながら、岩をふんだ。しかし、竜串は名が面白いだけでつまらない岩の畳にすぎなかった。「大竹、小竹」「しぼり幕」「かぶと岩」「蛙の千匹連れ」などという奇妙な岩があると、書物で読み、これは案外変わった岩石かもしれない、とひそかに期待もしたが、さわってみれば、単なる水成岩で、それも柔かい砂石にすぎなかった。第三紀層の砂岩がこのような形で海に突き出て波にあらわれている風景ならば、なにもこんな地の果てまではるばるやって来て見る必要はなかった。三浦半島の荒崎や剣《けん》崎の方が造形的な面白さがある。「大竹、小竹」などというのも、岩が縦に真っ直ぐ割れているにすぎず、「蛙の千匹連れ」なども、水成岩の表面に点在する堅い火山岩が波におかされずに点々と残っているのを指しているだけであった。

「見残し」にしても、弘法大師が四国遍路の折に見残したということだけで、見残した岩礁《がんしょう》がかならずしも珍しいものとはかぎらないことがわかった。案外、彼もつまらない岬にちがいないと最初から興味を示さなかったのかもしれない。それを信仰厚きお遍路たちが、大師様ですら見残したのだから、ぜひ見たいというわけで、妙に珍重したとしか思えない。

日本の地方に旅して、いつも感じるのはこうした視野のせまい風景讃美の声である。この地だけにかぎらない。平凡な風景しかないところでは、とくに異色も見出されない渓谷や海岸に対して、ことの外、誇大な讃辞をつかって、旅行者の気をひかせる。行ってみればたいてい失望する。「古くからある言い伝えを後代に引継ごうとするには、何か特別に印象をつよくし、記憶力を扶助するものが必要なのだ」という柳田国男氏の言葉は、この四国の果てでも適用できる至言であった。

足摺岬の印象を傷つけないためにも、私はこの岬を一刻も早く立ち去りたかった。もうこれで隆起海岸の風景はだいたいを理解した。これならば、ずっと沈降したリアス式海岸の方が美しい。それはかつて、三陸の海岸で見たものであり、先年同じ四国の佐田《さだ》岬で接した印象がある。沈降海岸には、島が浮かぶという風景がある。隆起海岸とちがって、大地の末端が沈むとき、その岬の一部が島となって残ることが多いからである。三陸にも、そして志摩にも島の多様な構図がある。

そう期待した風景はやがて竜串を立ち去って、宿毛へ近づくバスの車窓から見事に展開した。土佐が伊予の国に移るあたりから、窓外には急に島影が多くなり、バスが高みにかかるごとに眼下にはまるで島と見まがうばかりの岬が左右に現われて、段々《だんだん》畠《ばたけ》の裾は青い海にふちどられていた。

そこには人間の生活がしみこんでいる感じであった。ここを歩けばもっといろいろなことが書けそうに思えた。

宿毛から、城辺《じょうへん》、岩松、そして宇和島へかけての海辺には幾度か下りてみたいような入江があった。宇和島の宿で会った女中は「土佐より伊予の方が文学的でしょう」と自慢したが、この感想はあながち間違っているものではなかった。

なぜなら、人間的要素をまったくもたない自然の風景を前にしては、人はその表現に困惑するのだ。「筆舌につくしがたし」とはよくいったものである。

初出：『旅』一九五八（昭和三三）年五月号

海

千島の見える入江

――早春の野付岬へ――

水芭蕉

「ねむろしべつ」と六つのひらがなを並べた小さな終着駅は、北海道も東の果ての海辺にある。ホームから、いま乗ってきたレールをふりかえると、二本の鉄路は広大な一直線の地平線の彼方で消えている。その地平線の果てに白雪をひからせた山々が左から右へ並んでいる。北海道の五月はまだ春が来たばかりという季節であった。大平原は褐色が黄色に変わったばかりで、みどりを見せるにはもう少し時間の流れが必要だろう。駅の寒暖計は摂氏一三度を示していた。予期に反して大空は晴れていた。一つ二つと雲を数えても、三つと浮かんではいなかった。果て地の岬をさぐる旅の開幕は空の蒼さが祝福してくれていた。

しかし、終着駅の駅長は私の顔を見ていかにも申し訳ない、といった表情を見せた。

国後島が望める尾岱沼の港

せっかくこんな地の果てまで来たのに、まだバスが目的地まで通っていないことを詫びたかったのだろう。「オダイトウ」はここから四里の先だ。乗物がないとすればこの旅行者は歩いてゆかねばならぬことに同情したのだろう。

都会からの旅行者はバスのないことに対して不満を訴え、駅長の政治力のなさをきっと責めると思ったのであろう。しかし、そんな杞憂《きゆう》は不要だ。まだ北海道は観光シーズンになってはいない。私は当然、この駅から四里の道を歩くつもりでやって来たのだ。駅長はバスが目下車体検査期間中で休止状態であることを幾度も弁解した。僻地《へきち》、それも終着駅に住む人々は乗物の不便さが身にしみているのだろう。都会人は歩くことを、かならず嫌がると考えていたのだろう。そうした同情に礼をのべて私は歩きはじめた。心の中では、五万分の一の地図があればどんな山でも岬でも歩けると思っていた。「標津《しべつ》」そして「野付岬《のつけ》」の二枚の地図は、駅長の想像を裏切って私の右のポケットにちゃんと入っていた。

東京で調べたときも、バスが通っていないことはわかっていた。最初から歩くつもりで、リュックサックを背負ってきた。標津という千島《ちしま》が眼前に見えるこの港町まで来て、尾岱沼《おだいとう》までの道をバスに乗って通りすぎたとしたら、旅での想い出は半減する。バスが通れば東京からの旅行者は誰しもそれを利用するだろう。バスは窓という「額

根室海峡
国後島
根室標津
尾岱沼
野付岬
中標津
協和
春別
根室湾
ノシャップ岬
西別
標津線
根室
歯舞
奥行臼
花咲
風蓮湖
厚床
根室本線
浜中
釧路へ
0
20km
N

縁」つきの風景しか見せてくれない。ガラス戸をひらいて道傍を見ようとして首をのり出せばバスガールが制止するだろう。視界が眼の高さより上に限られているバスという乗物は、この原野の道傍に咲く水芭蕉《みずばしょう》の花をゆっくり鑑賞させてはくれないだろう。標津の町から南へ一時間たらず歩いた時、すでに私の歩く道傍には水芭蕉の花があった。たったひとりの気易さ、そうした旅路でおまえの見たいものを、見たいだけ見るがいい。それが私のいつものやり方だ。

千島の詩

北海道の地図をひろげてみればわかる。いま私の歩いている海辺の道は、千島の国後島《くなしり》にもっとも近い東の一隅《いちぐう》である。サザエのツノのように突き出た知床《しれとこ》半島と根室半島とのあいだにある海岸線。そこから見える島は歯舞《はぼまい》、色丹《しこたん》のような小っぽけな千島の一端ではない。巨大な山をそびえさせた国後島の全景が水平線を飾っている。今はソ連領となったこの大きな千島の大島のひとつが、わずか海上三里半の近さにあることを地図は示している。北海道のなかでもっとも千島に近いこの海辺——そこに私は心を惹《ひ》かれてやって来た。知床半島の羅臼《らうす》岳よりも歯舞、色丹島を眼前に見る根室の突端よりも、千島に手の届きそうなこの海岸線をぜひ一度歩いてみたい、と以前から思っていた。それはこの海岸線の真ん中に、長さ七里もあるという大地のヒゲのような岬が突き出ている地形美に惹かれたからだ。

野付岬――その地名はアイヌ語で「突き出た所」という意だという人もあったが、「ノッケウ」といえば「アゴ」というのが正しく、まさにその岬は人間のアゴのようにC字形に曲がり、千島に届かんばかりに見事に突き出ていた。地図を見たとき、まずその不思議な地形に私は驚いたのだ。

もうその岬のはじまる地点までたどり着いていた。考えてみれば、昨夜の十時に札幌を発《た》ち、釧路《くしろ》で朝を迎え、それからさらに乗り継いで、午後三時すぎになってやっとたどり着いたこの海辺である。そして、終着駅の標津からさらに、こうして歩く。もう日没が近づこうとしている。幸いなことにこの北辺の地は日没が内地よりだいぶ早い。幸い千島ははっきりと山肌の細部まで見せている。浜辺にはみどりの原野がひろがり、その大地が海に尽きるところは天然のゴルフ場のような緑地となり、そこで少年たちが草野球をたのしんでいる。そして行き交う人もない。野付岬がはじまるその地点で私は永いあいだ地図で想像していた風景と実景をひきくらべながら、しばらく立ちすくんだ。いつかは来たいと永いあいだ考えていたその特定の地点に今たしかに私は立っているという実感が貴重だった。千島の海から流れ着いた朽木が二、三本、その千島を眺めながら草をはむ牛が四頭、やっと雪解けが終わって乾きはじめたとみえる一本の街道、視界にはそれだけしかないことを忘れたくないと思った。しかし、その瞬間、なあんだ、と思った。これが永年自分の心をとらえていた地の果ての岬かと思った。それでも、誰もいない北辺の海辺ではいくらも空想を逞《たくま》しくできた。千島にむかってカメラを向け、それが終わると写真では現わせそうもない島の山肌をスケッチしながら、十五分も座りつづけるのに誰の許可もいらなかった。今は異国となってしまった眼前のこの島を、詩に書いたひとりの小学生があった。その詩が気に入って、私はわざわざノートに書き写してきたのだ。

砂浜に座って牛の放牧を視界に入れながら、その詩を私は改めて読んでみたかった。

チャチャ山だけは
すっきりして見える
富士山とそっくりだから
千島富士といったんだと

かあさんが言ったが
日本の山ではなくなった
「まあ あの山へいついけるべか」
と家のあんちゃんはいうが
あの山の一番きれいなのは夕方だ

そんな詩をつくった児が今さっき見たばかりの草野球の少年たちの中にもいたかもしれない。打てば球が千島へ飛んでいくような海辺の野球——そして球の行く手を見ると、たしかに国後島には富士山のような高い山がある。それがチャチャ山(爺々岳)だ。チャチャ山、一八二二メートル。今その山はたしかにあれだ、と私も指させる。白い雪をたっぷりつけてそびえている右手の山が、それにちがいなかった。

サイロ

いくらか感傷的になっていた私の気持ちがやがて薄暮の近づいた無人の街道をゆく

うちに、次第に現実的な思考に呼び戻されていったのは、原野の行く手にぽつんとひとつ、サイロのある開拓農家が見えはじめたためだったろうか。標津の町を出はずれてから約二時間。ほとんど人家を見ず、岬の付け根を過ぎてからは千島を浮かべた左手の海も視界からは消えていた。シラカバとハンノキとタモの樹の混る疎林の中をひろい道が一本、いくらかの起伏を見せてつづくだけで、リュックを背負う身体は夜行列車の疲れを少しばかり感じはじめていた。そのころ、やっと一軒の家が視界に入った。

しかし、その家にも人の気配はしなかった。北海道はまだ眠っている。根雪の解けるのは四月半ば、川が氾濫し、日本海岸の漁師たちはニシンを獲りに出かけるが、根室原野の果てはまだ活動をはじめていないのだろう。海辺の漁民たちはもう船を沖へくり出しているであろうに、原野の開拓民はまだ野に挑まないのだろうか。

この静けさ、無人の道、これが本当の北海道にちがいなかった。面積は九州の二倍といわれ、内地の一県分もの広さの村があるといわれる北海道。開拓されてから八十五年も経っていながら、まだ七十万町歩もの未開地が残されている広大な北辺の島。ことにこの根室原野は海辺をおおう深い霧のために、海岸地帯ですら米が実らぬという不遇な地域だ。石狩の野や、上川《かみかわ》盆地だけを見て北海道にも稲作が可能になったと断定するのは視野が狭すぎる。私の歩くこの平凡な原野の視界にひろがるもの、それは人力では如何ともしがたいなにかを秘めているようだ。泰西《たいせい》名画のようなカラマツ林の風景、その木陰に群落する水芭蕉の花という表現は旅行者が抱きがちな皮相なロマンティシズムだということがわかる。カラマツの林がそこにあるのは海から漂ってくる霧を防ぐためであり、深い霧は、太平洋岸に住む人々の胸部疾患の最大原因となっているのが現実だ。バスの全盛時代となり、旅行者は歩くことを嫌い、ますます皮相な観察者となりつつある今日、いま私の眼の前に現われたサイロのある風景を、内地の人は一体どのように見て過ぎるのだろうか。

絵葉書に印刷されたサイロのある風景、そしてホルスタイン種の牛。北海道の旅をあこがれる内地の旅行者は有名な観光地を泊まり歩いては絵葉書を買い求め、形容詞の限りをつくして北海道を讃える便りを書いてポストに入れる。しかし、サイロは開拓民の苦闘にみちた冬の生活の象徴だ。あの「城」のように見えるロマンティックな塔の中にあるものは、漬物のような牛の飼料だ。みじかい夏の季節に、開拓民たちが子供までかり出してストックした貴重な牛の食糧だ。デッド・コーンと呼ばれる干草が発酵し、やがてエンシレージとなり、冬になれば漬物のように変化して、牛たちに与えられる。それが現実だ。

美しい北国の城——中世紀の城のように尖塔をもつこのサイロは、夏のみじかい北国の労働の結晶だ。内地からやって来た修学旅行の少女たちはこの寒国の「城」をどのような気持ちで眺めるのだろうか。

望郷

午後五時半、標津から二時間半歩いて、道はふたたび千島クナシリの見える海辺へ出た。左手に見える海。これが野付岬に抱かれた波しずかな入江にちがいなかった。C字形を描いた細い岬によってかこまれているこの入江は、水面にへばりつくように低くて見栄えがしなかったが、七里も突き出た岬は幅がわずか二〇〇メートルほどしかないという地形美がまことに不思議だ。まさに千島にむかって突き出た長い大地のヒゲである。水平線に這《は》うようにして伸びていることから、完全な砂嘴《さし》の地形であることがわかる。

この波しずかな入江の中に、初夏ならば帆掛舟《ほかけぶね》が点々と浮かぶ、と教えてくれたのは、この地の果てがあまりにも不便なのでいまだに訪れる機会をもたなかった一人の旅行愛好家だった。北海シマエビの獲れる季節。正確には六月から八月の半ばまで。東西三里、南北二里というC字形の入江の中に百艘《そう》にちかい帆掛舟が浮かんで、長さ一五センチもある大きなエビを獲るのだ。これがアメリカへの高価な輸出品だけに、漁民たちは、乱獲されることをおそれ、一人一艘、一度に百艘以上は操業しないようにとりきめている。

帆掛舟が出現するそんな季節には、まだ遠い。入江のほとりにも尾岱沼へ通ずる道にも華やかな要素はまったくなかった。野付岬は次第にその尖端《せんたん》を伸ばしてゆくように見え、想像したよりその大地の鼻は長いように思われた。「象の鼻」と形容すべきだろうかなどと、昨夜夜行列車の中で考えた勝手な空想は、現実の風景に接しはじめてから、すでに壊されていた。

やはり、一行や二行の形容句では表現できる風景ではなかった。それでよかった。来てよかった。見なければわからない風景。北海道は岬までスケールがちがう、というべきであった。

突然、そのとき、沖に横たわる岬の岸辺で白い鳥の群が海をすべった。白鳥である。数えると、三十羽ちかくの白い点が野付岬の岸を泳いでゆく。春が来たというのに、白鳥はまだシベリアへ帰っていなかったのか。

一夜の宿を得た尾岱沼の町で聞けば、傷ついた白鳥が毎年二、三羽は孤独な表情で年を越すという。そういった漁業会の男の顔には、白鳥に劣らぬ冬の淋《さび》しさが人間生活にもある、と訴えている風に見えた。夏しかバスの通わぬこの僻地《へきち》の港町では、海を眺めて生きることだけがすべてだったのだ。

白鳥が去らなければ人間生活には春がこないのである。ホタテ貝の白い空き殻は浜辺に山と積まれて、暖まりはじめた太陽光線を浴びていた。漁業会の事務所を訪れると、海難事件の書類が海からの風をうけて、机の上で、はたはたとページを鳴らしていた。入江は死んだように静かで、野付岬の沖にはクナシリ島がはっきりと水平線をかざっていた。

しかし、漁業会の事務室はけっして平和ではなかった。深刻な表情で事務員と収穫の話を交す中年の漁師、拿捕保険の書類をめぐる事務員を前にして不安な表情で沖をときどき見つめる中年婦人。尾岱沼——とはアイヌ語で「静かな沼」と聞いていたが、そこに住む人々の心は平穏とは思えなかった。この港町には、戦前の千島（国後島）に生まれ、そこで育ち、戦後仕方なく帰ってきた漁民たちが一割もいる。沖に浮かぶ国後島が故郷だという人が、どんな気持ちで毎日その島を眺めているか、ゆきずりの旅行者にはわからなくとも、案外、白鳥たちは知っているかもしれない。

尾岱沼の港からは知床連山も望める

わずか三里半の距離しかない、手の届くような近さに見える国後島が今は異国である。ソ連領となってしまった今日、日本人の漁師は折半された一里半の沖までしか操業できないのだ。誤ってちょっとでも海域を侵せば、かならずソ連の監視船につかまって拿捕《だほ》される。拿捕されればすぐは帰ってこられない。一般船員はすぐ帰されても、船長はたいてい抑留され、充分な取り調べを受けて、何ヵ月も戻らないことがある。

漁業会ではそのために拿捕保険というものを制度化した。水産庁で登録し、万一拿捕された場合、その期間中、家族たちが困らないように生活費の補償を考えた。悲しい現実だ。ソ連とのサケ・マス漁業の取りきめも、千島を眼の前にしたこの港町では大きな関心事だった。直接船団を組んでカムチャツカ沖へ出かける漁民たちではないが、千島が日本の領土に戻るか、戻らないかは、日常の打算を越えた大きな問題にちがいなかった。

国後島を、ときどき眺めながら、陽のあたる海辺で網の修繕に余念のない赤銅《しやくどう》色の漁師の顔にも、ふと、千島への望郷の念が浮かんでいるように思えた。おそらく、彼の気持ちの中には、複雑な国際事情などを超えた単純な「故郷への思慕」があったにちがいない。白鳥はシベリアとこの入江を一年ごとに往復するのに、船をもつ人間たちの方は、眼の前の島へもゆけない。人間よりも、白鳥のようなコスモポリタンになりたい、とおそらく漁師は思っているにちがいなかった。

海難

尾岱沼の二日間、はるばる東京からやって来た旅人の眼にしたものは、白鳥やアザラシの来る、美しい入江の風景だけではなかった。

翌日浜辺に行くと、スケソウダラを箱につめて忙しく働く女工たちがいた。春遅い北辺の海辺とばかり思っていた認識は間違っていた。人々はもう稼ぐ季節にだいぶ前から入っていたのだ。

羅臼沖で獲れるスケソウダラの抄身《すきみ》作業――それがこの尾岱沼の春を彩っていた。しかし、そこにも大きな悩みが訴えられていた。つい最近のことである。スケソウダラの漁場といわれる羅臼の沖で突然白昼のさなかに漁船が沈んだのだ。スケソウダラを獲るにはせいぜい浜から一〇〇〇メートルも漕ぎ出せばいい。そんな近さで操業中、あまりにも突然未曾有《みぞう》の突風が起こったのだ。吹雪の日ならともかく、浜辺に女子供がかけつけた瞬間には、もう十八隻《せき》の漁船が蒼海《そうかい》に没していた。救助の余裕もなかった。人々はふたたび人体が浮かび上がることを祈ったが、期待は空しかった。九十三名の漁師のうち、五名だけがやっと国後島へ漂流して戻ってきたにすぎなかった。

羅臼の漁師たちは、残り少なくなった仲間たちの顔を見ては「もう海へは出たくない」と言い合っているという。男親と兄弟三人の働き手を一瞬のうちに失った家では、女親と娘が悲嘆に暮れているという。羅臼では町の経済力を失ったも同然の態である。その影響はスケソウダラの驚異的な減収となって現われた。この港にも例年ならば十五万貫は運ばれてくるのに、二万貫足らずという悲惨な結果となった。尾岱沼の町も女工の失業者を出したのである。いや、毎年七、八十万貫は加工されているという根室の町でも、スケソウダラの抄身を箱詰めにする労賃を春の生活費に当て込んでいた女工達が、すべて失業の憂き目に遭《あ》ったという。

その上、悲惨さは、保険の点でも二重だった。水産庁の保証する拿捕保険とはちがって、羅臼の場合の「家族操業」は事業主以外の生命を保険の対象としてくれていなかったのである。

「早く死体の供養をしてやらないと、また海がシケルぞ」

と羅臼の人は、最近、神に祈るばかりの気持ちになっていると、尾岱沼の漁業会の人は言った。

端午の節句の尾岱沼

そんな漁師たちの気持ちは知らぬかのように、沖では白鳥が今も、にぶい灰色の海をすべっていた。

初出：『旅』一九五九（昭和三四）年七月号

四国東海岸をゆく

——橘湾から室戸岬へ——

1

両羽をひろげて孤独に飛んでいるコウモリの姿をした四国。地図を見るたびにそう思ったが、このコウモリには頭がない。身体がない。羽だけしかない。しかし実によく似ている。右羽の先が室戸《むろと》岬であり、左羽の尖端《せんたん》が足摺《あしずり》岬だ。左羽は上の方が少し破られて、佐田《さだ》岬になっている。だからアゲハ蝶《ちょう》に似ていると言った人もいたが、蝶に譬《たと》えるよりも、四国は、コウモリの方がいい。今度の旅でも高知の郊外にある竜河《りゅうが》洞《どう》という神秘な鍾乳洞の中で、暗い天井に群れる無数のコウモリを見た。室戸への海辺には、蝶も飛んでいたが、秋生まれのアサギマダラとモンキチョウが、二、三匹だけだった。

そのコウモリの左羽の方は、三度に亘《わた》って旅をしたことがあるので、今度はまだ見ない右の方の羽を旅先にえらんだ。高松から徳島へ、そして、鳴門《なると》は見ずに、一路南へ下った。牟岐《むぎ》線というローカル線がある。その終着駅からさらにバスを走らせ、ついに最南端の室戸岬へ達し、それから今度は北上した。当然、土佐は高知の街へ入る。つまり、私はコウモリの右羽を忠実に一周して、高松へ戻ったことになる。

足摺岬、佐田岬という二つの不便な岬へすでに訪れたことのある私の眼で、この未知の海岸線を旅したらどんな印象をうけるだろうか、という気持ちがあった。というのも、四国の海岸線の美しさからいえば、九州寄りの風景の方がすばらしい、とされていたからである。伊予の国の南、宇和島から足摺岬にかけての海岸線は、いわゆるリアス式で、その入江の芸術的な線がすでに国定公園の価値ありとして、だいぶ前から滑南海岸の名で呼ばれているのである。

この西海岸の風景に対し、東海岸は一見カミソリでそいだように、直線のまま室戸岬にむかって伸びている。室戸岬へゆく人は、たいてい高知の方から往復するのが常識になっている。それだけに、入江らしい入江のないこの東海岸線は、今日まで旅行者に閑却されてきた一隅《いちぐう》である。四国に住む人でも、つぶさに旅した人は少ないにちがいない。しかし、人が平凡な風景とあっさり断定する旅先を訪ねてみて、今まで私はいつも新鮮な印象をもつことができた。それはそこに住む地元民の声を交錯させる

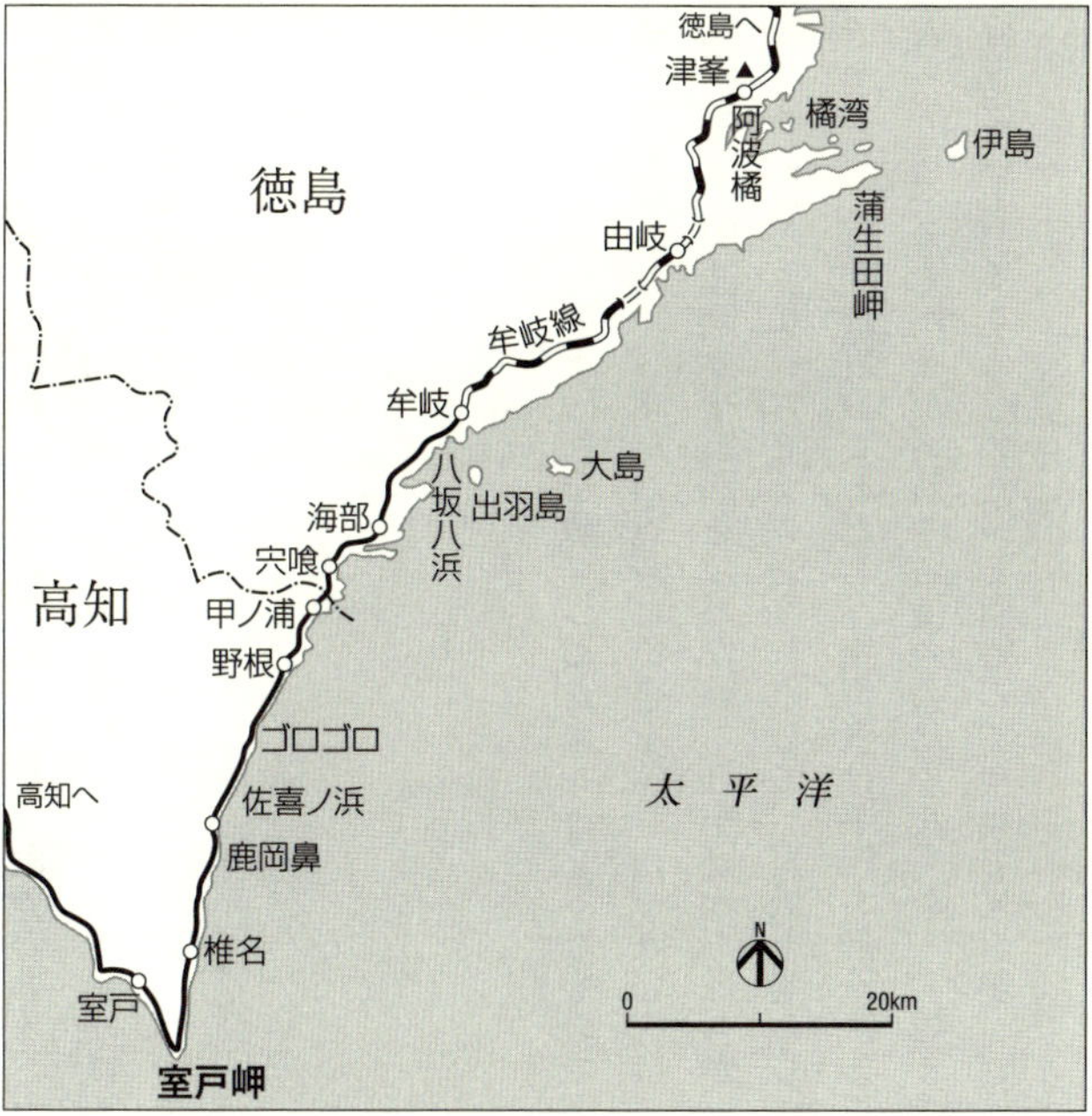

徳島へ
津峯
阿波橘
橘湾
伊島
徳島
蒲生田岬
由岐
牟岐線
牟岐
大島
八坂八浜
出羽島
海部
宍喰
高知
甲ノ浦
野根
ゴロゴロ
太平洋
高知へ
佐喜ノ浜
鹿岡鼻
N
椎名
0
20km
室戸
室戸岬

ことによって倍加した。文字による「自然描写」には限界がある。カメラや映画ではとらえられないもの、筆を持つものはそれを表現するしかない。人が見逃していた対象から、新たな驚きを感じたといえば、それはまず徳島の駅に降り立った瞬間からはじまった。

2

徳島の駅、それは構内に玉砂利を敷きつめたエレガントなものであった。この街の人には見馴れた風景らしく、そんな点景に驚きを感じた、といえば、今更のように土地の人は見直して、阿波踊りや鳴門をほめないことを疑ったにちがいない。阿波踊りは年ごとに行事というより、アトラクション化して、人気を落としてゆく傾向にある。夜はにぎやかだが、昼間は夏のことだし、旅行者は手持ち無沙汰に日暮れを待つ外ない。踊る人もプロが多くなり、いわゆる街の人は少なくなる。こうなると、ショーであり、旅行者は風土の香りに触れたいと期待してやって来るが、野外劇場での一観客にすぎなくなる。

一年に一度の行事で客を呼ぶ癖がつくと、どうしてもその期間を利用して金を儲けたくなるのが人情だ。

その点、一夜の宿を得た橘湾のほとりでは、観光よりももっと別なもので利益を得たいという気持ちがうかがえた。ここは徳島からディーゼルカーで一時間ほど乗った海辺の一角、三階建ての宿の窓下には、美しい入江に突き出た飛行場のような埋立地が視界に入った。聞けば、それは工場を建てるために埋め立てたとのことであった。

そんな埋め立ては私のもっている五万分の一の地図にも出ていなかった。

人工的でない東海岸の入江、というひそかな期待は見事に裏切られた。だいぶ前から、地図の上でその景色を想像し、一度この徳島の南にある入江を見たいと一種のあこがれを抱いていた私だ。夜になると対岸に紀州の大地が見えそうに思え、地図には一名「阿波の松島」とあり、V字型をした入江には点々と松を配した小島が浮かび、おそらくその全景を見下ろす宿からの眺めは、一日だけの滞在では惜《お》しいものだろうと想われたのだ。

たしかに、展望のよい高みに、木の香りも新しい宿はあった。しかし、その眼下には、まだ土も充分に固まらない埋立地の広場が突き出て、やわらかな曲線を見せた入江の風景を破壊していた。この宿は埋め立ての出現を嘆いたにちがいない。観光客よりも、工場を誘致した方が県財政に貢献する、という当局の考えがこの埋め立てとなって現われたものだと聞かされた。

「四国ブーム」という虚名のようなキャッチ・フレーズに、一種の観光ブームを期待していたのは私だけではないだろうが、四国は名のとおり四県あり、県ごとに生き方はちがっていた。しかし、徳島県では、阪神工業地帯の後背地化というスローガンがあったことを知った。しかし、この宿の眼下に突き出た埋め立ての広場にはなにもなかった。工場が建つはずで埋め立てたものの、話はまとまらず、風景を破壊しただけに終わった。仕方なく、村民用の運動場にでもするか、と県当局は人工の広場の処置に悩んでいるのが現状であった。

3

ふらりとやって来た旅行者に対してこれほどまで県民性を見事に示した風景も全国に珍しいが、しかし、これさえなければ、橘《たちばな》湾という入江の美は、オリジナルの陸《りく》前《ぜん》松島よりも絵画的構図がすぐれている。島は小勝島《こかつじま》というのを眼前に、左に長島、右に二つの岬を直角に突出させ、表弁天、裏弁天という小粒の島を点景にして、その配置はよかった。全国のなかからリアス式海岸を探せば、ここはちょっと陸中《りくちゅう》海岸のそれに似て、それよりはずっと太陽光線があかるかった。汀《なぎさ》をいろどる緑には亜熱帯植物が多く、榕樹《ガジュマル》の北限地といわれ、右手の入江では真珠の養殖も成功していて、南国のひかりがあふれていた。

観光ブームといわれる今日でもこの美しい入江に定期遊覧船がないことには驚かされたが、それだけにまだ未開の風景ともいえた。実際にはこれも県民性の現われで、かつて、戦前にこの入江の美しさを観光化しようと提案した地元民がいたが、その人物があまりにも積極的であったせいか、かえって反感を買い、不幸な結果となったために、以来遊覧船の定期化が復活しないのだ、と聞かされた。

しかし、他地から一種の期待を抱いてやって来て、一夜を明かす旅行者にとって、この不遇な四国の一角の静けさだけはよかった。朝の膳にはスダチと称するこの地方特産の小さな青い蜜柑《みかん》が載った。東をむいた窓をあけると、太陽が島影からしずかに昇った。

その朝、私は昨夜聞いた津峯《つのみね》という背後の山の伝説を想い出しながら、すがすがしい大気のなかへ跳び出した。山へ一歩一歩登ると、眼下の入江が少しずつ大きくなる。

「ツノミネサン」といえば、この橘湾の展望台というより、神様を呼ぶ親しさをこめて、だいぶ遠方から登りに来るのだそうである。松が山肌をべったりおおった二八四メートルの平凡な山だが、途中の桜並木を見るためではなく、中年以上の男女は頂上に祀《まつ》られた「延命の神」を慕って訪れるとされている。一口にいえば、海に働く人が海難からのがれたい一心で訪れるのだろう。それならば、ここも金毘羅様《こんぴらさま》と同じかと思ったが、延命のイワレはだいぶちがっていた。

地方地方で聞くこうした伝説にはうなずける部分もあるが、時代が経つとだいぶ脚色がひどくなり、ストーリーの原型が、たいていはっきりしない。それを本当らしく感じるためには、地元民でもよほど批判的に受け取るような人に会ってみる必要がある。幸い、ひとりの老いた地理学者がいた。学校の先生である。漁師ではない。

今は阿南（阿波の南）市と呼ばれるこの津峯町に彼は永年住んで、津峯を毎日のように仰ぎ見ながら健康に暮らしていたので、病気には無縁で、津峯への参詣者を第三者の眼で眺めてきた。徳島師範で地質を専門にした地理学を学んで、中学校の教師を職としてきた関係もあって、津峯が地質学的には硅岩という堅い岩石でできていることも知っていた。この山が人命を救ってくれるなどという伝えは、「非科学的」だといって馬鹿にしていた。近隣ばかりか、他県からも参詣者が訪れてほめたたえるこの風景に、とくに興味をもってはいなかった。

ところが、数年前に、突然彼が敗血症に罹《かか》ったのがこの津峯を見直した直接の動機だった。何ヵ月も意識不明の日がつづいた。自分でも、もう駄目だと思った。田舎の医者はただだまって寝かせていたのだろう。三種類の薬がある、どれが効くかが調べねばわからないといって、時間が経った。病いが重くなると、眼を閉じた闇の世界のなかで、黒いものがとび散るようになった。眼底出血などでも起こる症状である。そんなある日、彼はふっと星のひかりのようなものを闇の中ではっきり意識した。そのときはすぐ消えたが、二度目に現われたときは、その幻影をもう少し持続させようと努力してみた。半年に亘る病床だから、そんなつまらない闇の中のあそびにも意識が集中したのだろう。よく見ると、そのひかりの中に黒いシルエットが現われていた。その記憶を最後にして、彼は病気が不思議なくらいよくなったというのである。

そのとき、星のひかる闇の中で現われたシルエットが、あとで見較べてみると、津峯そっくりだったというのである。今まで馬鹿にしていた「ツノミネサン」でやはり自分は救われたのか、と思うと、以来、津峯を彼は見直す気持ちになったというのである。津峯、海抜二八四メートル、硅石で構成され、紀州と四国をつなぐ和泉砂岩の地脈の一部にして、橘湾は沈降によってできたリアス式海岸の風景……と学生たちに教えていた自分の故郷を、別の眼で見直してしまったわけである。科学者も生命が救われると宗教には弱い。他人の生命が救われても非科学的な迷信だ、と断定をつづけていた人間でも、自分が救われてはじめて信仰をもつ例は彼に限ったことではあるまい。

彼はこうして、誰よりも津峯の讃美者に変わった。津峯はかつて和歌山の木地師が海上に出て暴風に遭《あ》い、溺死の直前、彼と同じように生死の境にある意識のさなかで、闇の中にこの津峯を見出し、蘇生したときには、橘湾の漁師に介抱されていたという事実があると得々と語り、私の場合も同じだと言い、この木地師が恩返しに津峯の頂近くに穴居生活をいとなみ、そこで得意の木地挽きをやり、山麓民に食膳用の調度品をつくっては与えていた時代があったというのである。当時、津峯にゆくと、村人は祝宴用の皿小鉢がいくらでも洞窟の前に並んでいるのを見て、神様に感謝しながらそれを用い、また返しては次第に山自体に対する信仰がたかまっていったようである。こうして津峯は、何年かの間に、「家具の神様」というレッテルが貼られ、山麓の民は、「延命の神」にすりかえていったとも思える。

彼――地理学者の先生は、実をいうと、最後は医者のすすめるクロロマイセチンで完治した、と小声で言ったが、現在は津峯を礼讃する地元の第一人者であり、名刺には「津峯橘湾観光協会会長」と刷ってあった。

4

私の旅は、ときどき前日になって明日の行き先が変わる。前夜の床のなかで地図をひとしきり眺めるからだ。

今度も橘湾の宿で二十万分の一をひろげているとき、ふと眼にとまったのが直線を描く海岸線にぽつんと浮かんだ小さな島の存在であった。百万分の一以上の地図では今まで見逃していたのだ。しかし、よく見ると、その小島には人が住んでいる。そうみとめた瞬間、わざわざそこへ渡ってみたい気持ちになっていた。

牟岐線というローカル線の終着駅——牟岐の町の沖に浮かんでいることを地図は示している。名は出羽島《でばじま》といい、「デワ」ではなく、「デバ」と読むのが正しかった。東北地方でも濁らない「出羽」という地名が、ここでは不思議と濁音で呼ばれた。

牟岐の海岸に立つと、出羽島は一里の沖に江ノ島のような大きさで浮かんでいた。形も江ノ島に似ていた。周一里、最高点七六メートルといえば、江ノ島より、実際は一五メートルほど高いのだが、上空から見た地形は江ノ島とちがって、小判型をして海上の昆虫のようであった。

一日四回通う定期船は一分の遅延もせず正確に汽笛をあげ、二十分ほどで島に横付けになった。入江は深く、無数の漁船を並べていて、下り立った瞬間、来てよかったと思った。

小さいながら、江ノ島のような観光島ではなく、完全に生活の機能をそろえたひとつの「社会島」であった。船着場のすぐかたわらに、赤いポストをもった郵便局、舗装された道路、自家発電装置、そして病院、小学校、中学校、無線局、まず百八十戸の人口にはぜいたくなほど施設はそろっていた。島民は、「出羽島にすぎたるものが二つある。弥吉娘とタニワタリ」という昔からの文句を教えてくれたが、そんな無形文化財や天然記念物的存在よりも、こうした鄙《ひな》には稀《まれ》な文化性を自慢すべきだと思われた。

井戸は四ヵ所あった。山の頂に立つと、北の沖にこの島よりはるかに大きい大島が見えたが、この方はいまだに無人島だということであった。天然の入江がないのだろう。釣人に詳細な地図が作られているが、シマアジ、クエ、イセエビ、ハマチなどの釣れる別天地として徳島あたりから相当来ると聞かされた。

出羽島の港にて

クエは怪魚で、写真を見せられて驚いた。ハマチというのはブリの一時期の名称だということも知った。一口にブリというが、ブリは、初期がツバス、それからハマチ、そしてメジロ、オオイオ、ブリと成長に従って変わってゆくことを教えられた。この島で獲れたイセエビは砂を入れた箱につめられて毎日、東京へ運ばれている。

島の男たちは遠い海へ漁に出かけ、陸ではたらくのはつねに女性ばかりというケースは、太平洋岸の漁村では昔からのことだが、男を海士《あまし》と呼ぶのも、佐田岬で聞いたのと同じで、この島でも戸外で見かけるのは女性が多く、彼女等は飲料水の苦労で毎日を明け暮らしていた。毎朝、二つのバケツに井戸水を入れて、乳母車のような小さな木車を押しながら各戸へ運び入れては、夫のいない留守を守っている。

漁業会の事務所で私が会った二十前の若者は、近く南米へ遠洋漁業にゆくのだと言った。たいてい二年間は行きっぱなしである。女房をもらっても、二年ぶりに一月位しか添えないのが三十五位までの男の条件らしい。若い女房たちはそのわずかな上陸の期間を待ちこがれて、わざわざ基地の三浦三崎へ会いにゆく。男が青い大きな海にあこがれる気持ちはわかる。しかし、遠洋漁業に行こうとするには入学試験のような競争率だ。無線技師になっていち早く行こうとする若者、漁撈長の資格をもちたいと念願して努力する若者がいる。一年、二年契約でインドやブラジルへ行けば一人三十万円はもらえるというのだから魅力は大きいにちがいない。船長になれば二、三人分はいただく。そのあいだ、留守宅へは月二万円の生活費が確実に届けられる。女はその金を遠い外地でマドロスの恋に浪費してもらいたくない、といつも祈っているのだろう。しかし、金額だけで羨ましがるほどでもないようだ。官吏やサラリーマンの定年より早く、海と闘うものの肉体労働には限界が来る。三十五からせいぜい四十歳まで、遠洋漁業に出かけて一生の生活費を得たい、とそれまでに、三、四回の外国ゆきを願うのも当然の気持ちだろう。肉体がいうことをきかなくなれば、仕方なくこの島で近海の漁に生きる外ない。怪魚クエを獲る海士も、見ればかなり年のように思えた。

一航海二年の契約、行き先は遠い南半球の海——と聞けば、男のあこがれをみたすに充分な職業のようだが、彼等にいわせれば、定年より恐怖を感ずるのはやはり不慮の海難のようだ。海に生きる男の生命をつねに案ずるのは留守家族だろう。ツノミネサンが繁昌するのも不思議ではない、と昨日の山のことを思い出したが、この島の周辺では室戸台風もさしてあばれず、近海での海難は大して悲劇を生んではいないようであった。それだけに出羽島の家並みはあかるく、強い南国の太陽を反射させて一見裕福にみえた。

漁の利潤をもう少し詳しく説明すると、まず三浦三崎へ行って船団を組み、外洋へ乗り出すのだが、漁獲高の三割五分を利潤として頭割りにするそうである。一人の分け前八十万円というのはザラだとすれば、船長で一人三百万円と聞いてもうなずけよう し、また未来の船長をあこがれる若者の多いことも当然であろうが、現在、船は造船規定で九九トン以下と制限されているだけに、この島の入江に並ぶ漁船もけっして大きくはなかった。

5

バスは走った。牟岐という終着駅から室戸岬へかけての一直線の海岸線には人口一万以上の漁村はない。東洋町などという町村合併で生まれた新しい町も、名は立派だが、野根という町を中心にした海ぞいの地域で、その北にある甲《かん》ノ浦《うら》の港も関西汽船が毎日早朝に現われはするが、夜明けとともにたちまち姿を消してゆく。どの港もみな小さくて、淋《さび》しい。それでも五千人位の人口をもつ漁村は、牟岐から室戸までのあいだに、浅川、鞆奥《ともおく》、宍喰《ししくい》、甲ノ浦、野根、佐喜ノ浜と五つ六つ、等距離に並んで、いずれも西側に山を背負い、青い太平洋を前にあかるい南国の太陽をうけている。どのひとつもバスを降りてゆっくり歩けば、それぞれに旅情がただよっていそうである。

しかし、バスはただ一生懸命に走った。こんな小さな漁村に用はないでしょう、といわんばかりに十人たらずのお客を乗せて鄙には稀なスピードで走った。牟岐から浅川という漁村までの二里のあいだが、実はこの旅でせいぜいゆっくり見たいと思っていた「八坂八浜」の海岸であったが、出羽島から眺めて知ったことは、つまらない風景だということであった。

八坂八浜の名は、かつてお遍路さんがここで道に難渋し、八つの坂と八つの浜を苦しみながら越えたという故事に由来しているが、いま走る八坂八浜はすべてトンネルで貫かれ、バスはほとんど起伏を意識させずにひた走った。「八坂八浜も今はつまらないですよ」といった土地の人の感想に間違いはなかった。地名に惹《ひ》かれて、古い時代の風景を想像して不当にあこがれを燃やすのは、私のわるい癖のようだが、牟岐からざっとバスで四時間という長い海岸線を、わざわざ乗りつづけてみようとする私には別な期待もあったからだ。つまり甲ノ浦よりも先だ。大ざっぱに地図を見る人が完全に見落としているこの一角、くわしくいえば、佐喜ノ浜という僻地の漁村から室戸岬までの風景である。

国鉄も四国支社を先頃新設して四国の開発に乗り出しているが、人口の少ないこの東海岸では、牟岐線の延長が室戸岬まで達する日はかなり先のことであろう。その前に、西海岸の宇和島と高知側のローカル線がむすばれるだろう。同じ土佐でも、足摺岬より室戸岬の方がはるかに便利だと思われるのに、鉄道敷設の方はおそらくその逆になるだろう。

まだかなりの長いあいだ、この海岸線はバスが毎日のように走るだろう。それだけに、私はここを走るバスの経営者に率直に言いたい。それは、佐喜ノ浜から南の海岸線が、足摺岬へゆくバスの車窓の風景よりもはるかにすばらしいということだ。バスをときどき停めて、旅行者に風景を味わわせてほしい。正確には野根の町から、ほとんど、南北に一直線につづく海岸線の太平洋だ。

御《み》崎という小さな岬端が見えはじめるあたりでは、室戸岬の手前の大地が三重のシルエットになって、茫洋とひろがった左側の太平洋へ足を入れている。ここで四国は完全に終わりだ、という実感がここほどはっきり身にせまるところはない。足摺岬の場合は、バスの窓外に海はほとんど見えなかった。清水から宿毛《すくも》へかけての海岸線も、海を見下ろすという点では、ここに劣っていた。

室戸岬へ達するざっと十里のあいだ、太平洋は眼下の足もとに白い波となってぶつかっている。五メートルもの高さになって打ち寄せる波がしぶきをちらして、飛び散る瞬間、七色の虹が現われる。そして夕暮が近づきはじめた室戸岬への海岸線の行く手は、まさにそこが四国の地の果てであることを示すように、島さながらの地形で水平線に溶けこんでいた。「ゴロゴロ」という名のついた荒れた海岸を、バスは一瞬のあいだに過ぎたが、そここそ日本でももっとも豪快な波が打ち寄せているように思え、人の歩いた気配はさらになかった。室戸台風の通路であり、岩は巨岩のまま丸くなっていた。「ゴロゴロ」とはその岩の姿から起こった名にちがいない。「西伊豆の海岸と較べていかがですか？」と室戸岬の人は自分の故郷の美を再確認したが、ここは原始の海と呼ぶのにふさわしかった。

観光客は誰もこの十里の海辺を歩こうとしない。太陽光線はひとしお暖かかったが、寄せる波は怒りにみちている風に見えた。鹿岡鼻《かぶかばな》を過ぎると、バス道路はやっとのどかな村落を左右に見せはじめたが、地の果ての室戸はふたたび荒れていた。ヒシャゴ碆《ばえ》と呼ばれる巨岩を頭上に仰ぐ、細い切り通しを抜けると、バスはまるで太平洋へと び込むようなスピードで岬の突端へ驀進《ばくしん》した。街道にはお遍路さんの姿もなく、行く手にはバスに歯向かうような巨大な怒濤《どとう》があるばかりだった。

取材：一九五九（昭和三四）年

離島・隠岐の明日

――新航路への期待――

1

近頃の日本の観光地は、三日見ぬ間に変わってゆく。三日見ぬ間は、少々表現が誇張にすぎるにせよ、まったくその変貌ぶりは早い。

旅行者を引きつけるために、せっかくつくったケーブルカーを取り外そうという、一見逆コースのような現象さえある。戦争中ならばともかく、これは常識を逸している。

たとえば、瀬戸内海の一隅《いちぐう》にある、屋島《やしま》という日本古来の観光地、そこでは戦前つくられ、戦争中一時、撤去され、戦後ふたたび誕生したケーブルカーという乗物が、観光道路の出現によって、窮地に立っている。一方では、全国各地に、ロープウェイが生まれて人気を博しつつあるという今日、思えば、現代の日本の現実は不思議であ

隠岐の中心地、島後の西郷

る。二十世紀後半の日本は、さまざまな矛盾の中に生きているという外ない。

しかし、そうした日進月歩の目まぐるしい社会現象は、日本海の隠岐《おき》にはなかった。同じ海でも、波のない静かな瀬戸内海の一隅と、荒浪にかこまれた日本海とは事情がちがっていた。隠岐ノ島は名のとおり、はるかな沖にあって今でも荒浪とたたかって生きているのが精一杯のように見えた。たとえば、バスという、今や本州ならば山間僻地までその姿を見せないことはない大衆的な乗物が、隠岐には、たった二十台しかなかった。いや、一九五六年、今から三年前には、わずか一台しかなかったのだ。

小さな島だから無理もない、と人は言うかもしれないが、けっして小さくはないのである。隠岐ノ島は四つに分かれ、そのうちひとつはとくに大きく、直径は五里、周囲は約二十里もある。大きさからいえば、佐渡の半分より少し小さい程度で、約一万戸をもち、けっして、絶海の孤島と呼ぶにはふさわしくなく、「島前《どうぜん》」、「島後《どうご》」と呼ばれる大きな四つの島のほかに、地図で数えれば、なんと百八十個の小島をちりばめて、晴れた日には、山陰の最高峰、伯耆大山《ほうきだいせん》の姿さえ見ることができる距離に位置しているのである。

日本海には島が少ないだけに、隠岐の名は佐渡とともに近頃かなり有名になってきた。しかし、「質」の点では、あまりにも佐渡とはちがっている。佐渡には本州にも

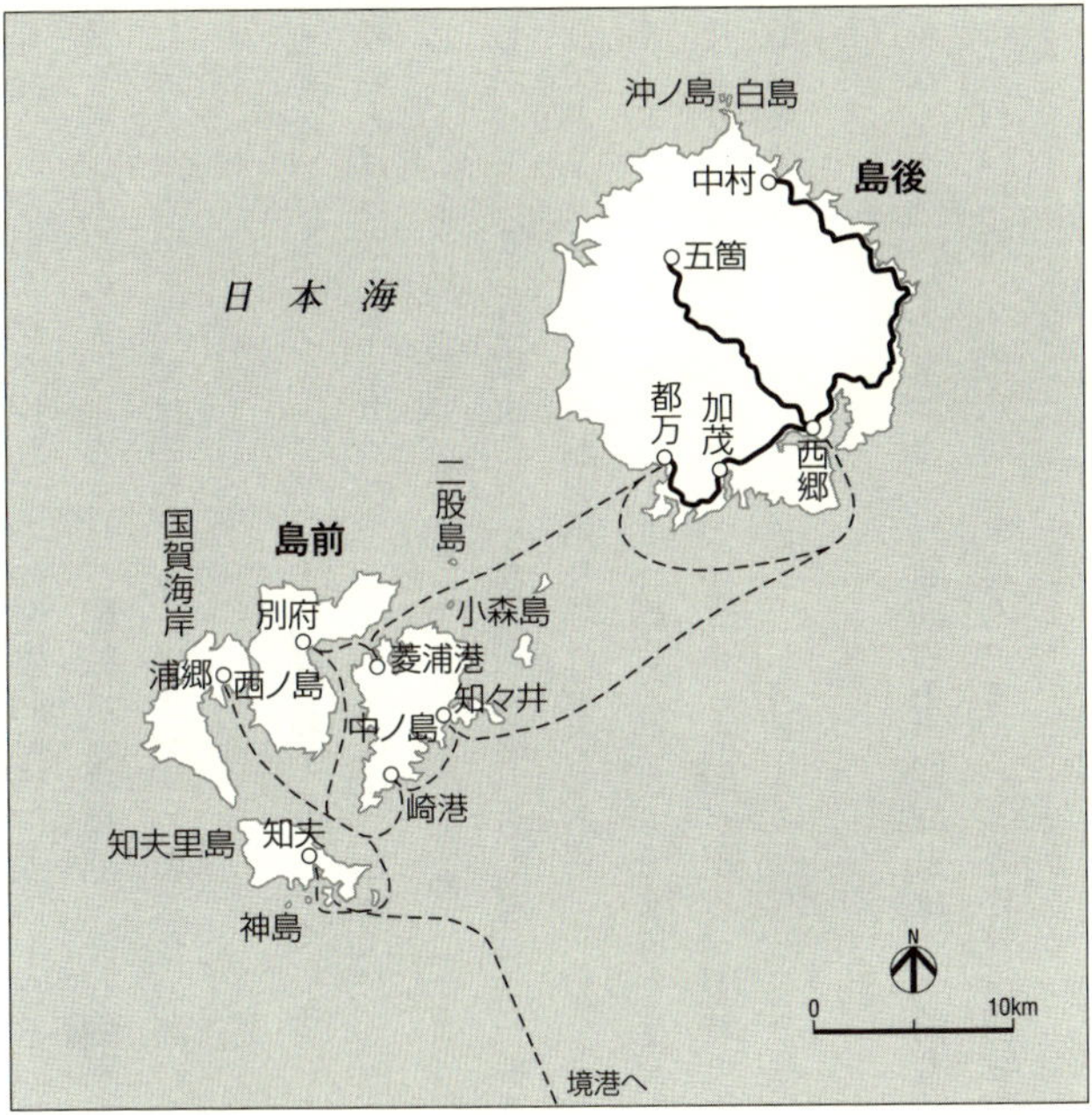
沖ノ島
白島
島後
中村
五箇
日本海
都万
加茂
西郷
二股島
島前
国賀海岸
小森島
別府
菱浦港
浦郷
西ノ島
知々井
中ノ島
崎港
知夫里島
知夫
神島
N
0
10km
境港へ

ほとんど発見されない金鉱が採れ、その全盛期には、人口十万といわれたことがある。佐渡が日蓮や順徳天皇の流罪地《るざいち》ならば、隠岐は、後鳥羽《ごとば》・後醍醐《ごだいご》両天皇の遷幸地《せんこうち》として、ともに流人島《るにんとう》という点では同質でも、いまや、この二つの島の生活水準にはぐっと差がついた。

「佐渡はガイな宣伝をするからな。——隠岐の国も、ガイに佳いとこだけ、ございの」と隠岐の人はひがんだ。ガイな、とは「大きな」とか「どえらい」という意味であり、「ございの」とは、まあ、来てみてくれ、というわけである。

佐渡とちがって、ここは東京に近くない。大阪からも遠い。一番近いのは、米子《よなご》であり、松江であり、本州からの船の乗り場は境港《さかいみなと》である。

境港——そこは伯耆大山の裾野を北へ細長く伸ばしたような半島、夜見《よみ》ヶ浜の突端にあり、そこからわずか五〇〇トンという小さな船が出る。隠岐は佐渡より本州から近い、と島の人は自慢するが、その海上一二〇キロの距離を、なんと汽船は八時間もかけて走る。

いや、少なくとも、私の乗った、昼航海の第二隠岐丸は、午前九時に境港を出航し、春の季節でも日没に近い午後六時すぎになって、やっと終着港西郷《さいごう》の港へ横付けになった。

旅情の味わいというものが、今日では、乗物のスピードに反比例するものだとすれば、この船旅は、たしかに今後長く私の記憶に残るだろう。新潟から佐渡への船が夏の季節には一日三航海、しかもわずか二時間半で走るということを思えば、この隠岐への船旅はまさに、「時代ずれ」という表現を超越しているという外はなかった。しかも、私が乗ろうとしてはるばる東京から出かけて、境港の駅に降り立った三月十二日という日には、汽船は出なかった。季節は春なのに、隔日航海だと聞かされたとき、私は、この島が、目下国立公園の候補地になっているというニュースにさえ、いくらかの疑いを抱かざるを得なかった。

仕方なく、私はその一日を、皆生《かいけ》の温泉で過ごした。皆生は大山の裾野が海に尽きるところ、米子の郊外に湧くまるで海辺の別荘地のような、モダンな温泉場。

その夜、隠岐から来ているという美しい芸妓に、私は会った。彼女はしきりに隠岐のよさを語った。美人というに足る彼女の話を聞いたとき、船もとだえがちな絶海の島への旅は、観光客などを期待していない処女地への密航的な行為を連想させて、明日見る未知の島へ、あらたな期待を抱かせたが、この調子では最低三日間の島流しを覚悟させられそうだ、と想いながら、眠りに落ちた。

2

船は揺れた。デッキに立つ人は少なく、客はほとんど暗い船室の底にへばりつくようにして、清潔とは思えぬ毛布をかかえていた。ピッチングとローリングの交互作用、粗末な病室か、南方への輸送船を想わせる室内風景である。少なくとも、国立公園という美しい風景をあこがれて乗る人の気持ちを美化してくれる情景ではない。

第一、朝から夜まで乗りづめでたどり着く遙かな旅であるのに、船は食堂を備えていなかった。佐渡より少し遠い程度の島とあっさり考えた私の方に、隠岐への過大評価があったのだろうか。事情も知らぬ旅行者が、ふらりと乗りこむなどということは考えもしないのだろうか。朝食も充分に摂らずに、早朝から宿をぬけ出て、まるで会社へ出勤するようなあわただしさで一時間以上もかけて駆けつけた港から、そのまま船に乗せられた私の胃袋は、極度に空腹を訴えはじめていたのだ。弁当をもって乗船するという、土地者にとっての常識を私がもたなかったことは責められるべきだったのだろうか。私のような船に強いものにとっては、やがて空腹は異常な苦痛に変わった。

海軍の軍人を父にもつ私は、幸か不幸か、船に乗っても酔うことがなかった。それはすでに八丈島航路で実証済みであり、陸上にあるときと同様に、胃は消化作用をつづけた。船内をうろついて探したが、売店もなかった。

犬のように私はデッキを往復した。三時間も経つと、すでに本州も見えなくなり、沖にも島は見えず、ただ青い荒い海だけにとりまかれた。スクリューのつくり出す白い泡はビールを想わせ、デッキに落ちているキャラメルや、チョコレートの空箱を子供のように拾ってみたくなった。中にはなんにも入っていやしない、とわかっていながら、手を差し出してみたくなるあの幼年時代の欲望が、三十を過ぎた私の心によみがえったのは、私が卑俗で人間としての修養が足りなかったせいだろうか、などと考えてみたりしてひとりで笑った。

この海が日本海だ、この水平線の果てに隠岐がある、と海を見ながら何度か自分に言い聞かせながら、時間を経過させる努力を試みたりした。

それは詩的な気持ちでもなければ、いつも感じる秘境へのあこがれの確認でもなればば、不意に乗船したストレインジャーがおちいったまずしい精神の異常興奮にちがいなかった。

隠岐でぜひ見たいと思っていた風景は、北端にある白島《しろ》、そして西《にし》ノ島の外洋をいろどる壮絶な絶壁、国賀《くにが》の海岸、この二つは隠岐にしかないものに思え、同時に、時間がゆるすならば、黒木御所を見たい、と考えていた。

この黒木御所はかつて後醍醐天皇が流され、幾年かを暮らした行在所。しかし、そうした一種未知へのあこがれも、空腹のためか、次第に薄れてゆき、後醍醐天皇がこの海を渡って行った往時の心境に対して同情してもいいなどと思いはじめ、そのあげくには、人間というものは、まったく勝手なものだ、と思いはじめていた。あれほど以前から隠岐をあこがれ、ぜひ渡ってみたいと思っていたのに、こうしてひとり船に乗ってそこへ向かいつつあるという現実が到来してみると、なんと、自分はその旅をたのしんではいないのか。

旅への「あこがれ」という言葉を、安っぽくいつも使う自分が反省され、あこがれというものが、現実の行為に移された場合には、しばしば苦痛をともなうものだ、と今更のように言い聞かせた。そして、ふたたび気をまぎらわし、視界になにひとつない青い空を眺め廻しては空腹を忘れようとし、そんな思考と自己反省を幾度か繰り返すうちに、やっと、はるかな北の水平線上に、私の眼はぽつんと黒く浮かぶ小さな島をとらえた。

船はやがて大きく汽笛をうならせた。最初の寄港地、知夫里《ちぶり》という島の姿が、刻々と大きくなってゆくのをひとつの希望のように感じたとき、はじめて、胃袋は空腹を意識しなくなっていた。

3

青黒い海が突然、手品のように私の前に見せたものは、茶褐色の大きな岩の島であった。堅く、まるで、巨大なチョコレートの塊をナイフで斜めから切りとって海に浮かべたような島、それは本州でも日本海側の風景の主調をなす玄武岩である。美しい層理がその断面をいろどっている。

時計は午後二時を指している。それまでこんな絶海のような果てに、本当の島があるのだろうか、と、空腹も加わって地図の示す現実をなかば疑いかけてさえいたのに、やはり、地図は間違いのない風景をいま眼の前に展開したのだ。この風景こそ隠岐の序幕であり、プロローグだ。初の港は知夫里。いや、それより、最初に強烈な色彩で私の視野に入り、空腹などを忘れさせたのは、神島という三角形の島。地図をひろげると浅島と名のついた、これも小さな無人島が船の左舷から手の届く近さで迫った。

隠岐の第一印象のよさはこうした周囲一キロにみたぬ小島の風景の美しさであった。

それは大きな四つの島をとりまくアクセサリーであり、大きな島が平凡なのに反して、すべて少年時代にあこがれた「宝島」の空想をみたすに足る魅力をもっていた。

地図を見るとき、隠岐は大きく分けて、四つの島が数えられ、船の着く順序にいえば、知夫里、西ノ島、中《なか》ノ島、そして、大島。それを、人は、二つに分けて呼び、前の三つが本州に少しばかり近いので、「島前」、そして最後の大島を「島後」と呼んで、ふつう、隠岐へゆくといえば、この島後にある最大の港、西郷にゆくことを指している。

島後は丸い大きな島で、そこにある西郷は深い入江をもち、予期に反して波は静かな港町である。コンクリートの建物もいくつかあり、かなり立派だ。それだけに、西郷に生まれ、本州へ渡らずに死ぬ人もいる。米子や松江は知っていても、大阪や東京を訪れたことのない人がほとんどである。ただ町は立派でも、乗物はまったく貧しいのだ。

一口にいって、隠岐は二十世紀後半でも、極端な不便さで、交通機関に恵まれていない。しかし、テレビが八百台も普及していると聞けば、けっして、文化果つるところとはいえまい。若い女性のスタイルは本州の大都会とほとんど直結した新しさだ。思うに、文明は開化しているが、乗物に関する限り、十九世紀的な水準にとどまっているのである。

バスが三年前から定期路線をつくって走りはじめたというが、本州からの定期船がたった二隻《せき》、それも一日一回、一隻が修理中であれば当然隔日運航となる悲しさ。私が遭遇した事情はまさにそれであったのだ。

大海へ乗り出すというのに、わずか五〇〇トン足らず、それも少し波が高ければ、すぐ欠航する。船は島の人のためを考えるよりも、船自体の身の安全をつねに考えてきたような形である。船内に食堂を設けないのも、それが大した乗船時間ではない、という考えから生まれたものだろう、と私は勝手に解釈したが、予期に反して、隠岐の人はこう言った。

「船で食事する必要などありませんもんな――」

初夏から夏までをのぞいては、毎日船は木の葉のように揺れ、船客のほとんどは食事などする気持ちにはならないというのである。

ただ、国立公園になっても、この状態では困る、という事実だけは、島の人も、汽船の人も素直にみとめた。船を大きくできないものか、といえば、赤字財政で、国家から補償金をもらって、かろうじてやっている実状では、とても伊豆大島航路や佐渡航路のような船は走らせられないと半ばあきらめ顔で言い、それでも、現在いろいろと対策を考えていると、前向きな姿勢だけは見せた。

「離島振興」という国家的掛け声はたしかにある程度、隠岐にも前進を与えている。島内のバスが隠岐汽船の経営から、島根半島を支配する一畑《いちはた》バスという会社に代わってから、台数が二十台となり、定期路線も島後に四本できたのだから、たった二十台か、と軽蔑しても、三年前のわずか一台に較べれば、文明開化である。

島前の方は小さい島の集まりであるだけに、去年からやっと浦郷《うらごう》、別府《べっぷ》間に一台のバスが登場したのが現実だ。それでも島前の人にとっては、夢のような進歩である。今でも知夫里では夜十一時をすぎると、電気が消えてしまい、本州から来れば一番手前にある島でありながら、電源開発ブームの今日に、ランプ生活の民家が残っている。いや、今でこそテレビの普及率をほこる西郷の町も、三年前までは雪が降る冬の日には、夕方になると停電した、と宿の女中は言った。

バスが走ることは島民にとって望ましい生活の向上であろう。しかし、バスよりも、島民を嘆かせているのは、本州とのあいだをとりもつ船の貧しさだ。人間と荷物を一緒に乗せて、途中、島内の港へ立ち寄っているために、こんなに丸一日もかかるのである。貨物船と旅客船を別々にすればおそらく、現在の所要時間は半分に短縮されるだろう。

私の乗った船は昼便と呼ばれ、早朝六時に松江を発《た》ち、境港に寄港し、知夫（知夫里島）、別府（西ノ島）、菱浦港《ひしうらこう》（中ノ島）、都万《つま》（島後）、そして、終着港を西郷として一巡する「甲線廻り」で、その外に「乙線」と称して浦郷（西ノ島）、崎港《さきみなと》（中ノ島）、知々井《ちちい》（中ノ島）へ寄港しながら往復する航路の二本建てとなっているのが現状である。

第一隠岐丸が「甲線」に、第二隠岐丸が「乙線」を往復して一日おきに松江を出航する。

西郷の港以外は桟橋《さんばし》に横付けにならないので、港々ではしけが迎えておよそ一時間以上停泊するのを見たとき、人より荷物の運搬に時間がかかることがわかった。それはよいとしても、突然の旅行者にとって納得できないことは、この航路が、四月から十月末までは二隻とも夜間航海をするのに、十一月から三月末までは、いかなる理由で昼航海に切り替えられているのか、ということである。

聞けば、それは日本海に浮遊する機雷を避けるためだ、という答えを得た。今どきまだ機雷の心配があるのかとさらに聞きただせば、この機雷は戦後でも朝鮮戦争のころは、かなり脅威の対象になっていたというのである。

潮流の関係で、冬期は機雷が航路上に流れこんでくる可能性をもっていたというわけである。安全を期すための昼航なのであった。

「ガイなこともありませんでしたがナー。しかし、今年になっても、二つや三つの機雷は見つけました」と、船の事務長は言った。

それほどまでして、安全を期しているので、事故はまだ起こっていない、とほこらしげに言うのを聞いたとき、私は、この島が今なおもちつづけている昔ながらの保守性を理解できたように思え、純朴な島民の生活感情を想像して、昨夜会った皆生の温泉の芸妓の言葉にもさして誇張はなかったと思い直していた。

4

島も保守性が根づよいことは、島民の八〇パーセントが今でも自民党支持者であることによっても端的に示されている。

この保守性が、かつては近衛文麿《このえふみまろ》の三回にわたる来島を歓迎し、いまだに本土との交通機関である船を前近代的な貧しさから救わない原因をつくっている。

国立公園の一環となるにつけても、汽船だけはなんとか新造したいとあせる気持ちは島民にあふれているが、もともと半官半民の形ででき上がった会社だから、島が貧しいかぎり、希望どおりに行くわけはない。かつて栄えた漁業も林業も今では島を支えるだけの収益をあげないというなら、当然、島民は観光客誘致に希望を燃やしたくなるだろうが、この船の状況では心もとない。

国立公園編入にならないうちに、早く杉を伐ってしまえ、という気持ちになる島民がいるのもうなずける。進歩的な島民は早く一〇〇〇トン級の観光船を造って本土とをむすべ、と提案するが、一億円もかかると聞いたとき、うらめしそうに、はるかな水平線に霞む伯耆大山をにらんであきらめたのだ。

私が島前から島後へ走る途上で見た白いスマートな連絡船にしても、ひとつの悩みをもっていた。第一、この島内連絡船ともいうべき第五隠岐丸が登場して、島民から待ちに待った唯一無二の贈り物として迎えられたのは、昨年の五月のことだった。それまで島前と島後のあいだには小さい漁船しか通わなかったのである。

ところが、三千万円も投じて造ったこの船が、美人薄命だったと知ったときの島民の失望は、大きかった。第五隠岐丸と名付けられて、島民の期待を一身にになって走りはじめたこの船が、実は瀬戸内海生まれの箱入り人形だったのだ。

波静かな、いや波というものを知らない日本の地中海で造られ、そこからすぐにこの荒浪の日本海へ運ばれてきた小汽船は、わずか四里にもみたない隠岐海峡の上で木の葉のように揺れ、乗った島民はたちまち生命の危険を感じた。あと船長を一〇メートル伸ばして、荒浪を泳ぎきらせてやったらいい、という同情論も出たが、それが六百万円もかかる仕事だと聞いたとき、ふたたび島民が絶望したのも無理はない。

西北季節風が半年吹き荒れるこの絶海の島で、世の荒浪を知らぬ白い肌の第五隠岐丸は、まるで小児麻痺の子供が可愛がられるように、西郷の入江の奥でつながれたまま、冬を越した。

隠岐では、なにによらず、上品で、おとなしくては生きていけないのである。闘牛という行事が今なお四季を通じて行なわれているということも、隠岐という島の昔ながらの性格を端的に示しているといえるだろう。かつてこの島へ流された天皇が孤独な毎日に退屈して、ある日牛を角突き合わせてみようと思いついたことから、この闘牛という行事ははじまった。

闘牛——これこそ、今でも、隠岐がほこる伝統の郷土芸能だ。もともと、牧場として目をつけられたこの島のこと、今は杉の美林が茂る山々も、かつては、放牧場として栄え、今でも牛は人間より大切にされている。

もっとも、それは黒々とした光沢のある肌を見せた大型の牛だけだ。闘牛に使われる牛は、もともと役牛とは育ちがちがう。エナメルの靴が運動靴より高価なように、隠岐でも、闘牛に出場できるような牛は数えるほどしかいない貴族に属する。

牛にも身分の上下がある。横綱、大関、関脇とランクされる黒牛は、餅米という高価な移入食を与えられて、飼い主の日常生活より贅沢に育てられている。

隠岐肥育協会は牛の飼育をバックアップし、毎年九月一日の大会にその成果を問うのだ。周吉《すき》郡と隠地《おち》郡の境にある凹地は、その日、天与のコロシアムとなり、本土からの見物人も合わせて、五千人の観衆を集めるといわれる。晴れの土俵で闘える栄誉をになうのは、毎年わずか二十頭、取り組みにしてわずか十組というだけに、飼い主にしてみれば、この日、このとき、わが児の決闘よりも真剣な表情で、手塩にかけた愛牛の取り組みを凝視《ぎょうし》するという気持ちも理解できる。

負ければ、二度と晴れの土俵には登場できないばかりか、負け牛として、やがて葬り去られ、島から追放されてしまうのである。

毎月一日と十五日の二日、旅行者は、その牛たちのトレーニングの情景に接することができる。夏ゆけば、飼い主たちが、大切な牛を、わが児よりもいとおしげに、うちわであおいでいる風景に接する。

それにしても、九月一日の闘牛大会といえば、台風シーズンの真っ只中、台風の襲来におびえながら行なわれる孤島の闘牛。考えてみれば、やはり、隠岐という島は雄々しい。

瀬戸内海生まれの白いスマートな汽船が、島民から馬鹿にされるのも無理はない。船に望みがないのなら、仕方ない。荒地を平らにして飛行場をつくり、本州から空路で観光客を呼ぼうか、という声まで起こり、目下、西郷に近い平坦地が絶好だと主張する積極派もいる。しかし隠岐は、おそらく、当分のあいだ、荒々しさをほこる日本の秘境のひとつとして、日本海の波濤に、もまれつづけることだろう。

初出：『旅』一九六〇（昭和三五）年六月号

湖

氷河の遺跡・神秘な小湖群
——津軽・十二湖——

1

ある風景の美しさを表現しようとするとき、「神秘な」とか、「筆舌に尽くしがたい」といった形容詞を用いることは、戦後の世では避けた方がいいようである。「筆舌に尽くしがたい」と言ってみても、読む人にはなんらのイメージも浮かばないからである。

明治時代以来、日本の、いわゆる紀行文には、どうもそういう表現が多すぎたようである。文学者が科学的知識をもたないことの多かった戦前の日本では、これは致し方のないことだったのかもしれないが、なにか近頃になってみると、表現に窮したときに用いられる一種の逃げ口上のようにも取れる。原始時代と同じ発音でも、現今は原子時代である。科学的に説明できないものはまずあるまい。文学における表現の方も

十二湖最奥の青池

やはり時代とともに変わっていい、と思うのである。

南極のオーロラ現象にしても、高い山の頂で稀《まれ》に起こる不思議な「ブロッケンのお化け」という天然現象にしても、現代では、少しも神秘ではなくなった。ひととき、東北地方の裏磐梯《ばんだい》にひそむ五色沼の湖色が絵具を溶かしたような不可思議な色を見せていたのを見て、人は「神秘」と形容した。しかし、これも今では火山の湖がつくり出した一種の化学現象だとはっきり説明されている。少なくとも「神秘」ではない。

いま、私が訪れようとしている東北の津軽地方の南西隅にかくされた十二《じゅうに》湖という湖にしてもそうである。実は、私もこの文の標題に「神秘」という表現を使ってみたものの、科学的には神秘ということはないだろう。おそらくないはずである。ただ、この湖の場合は、いまだに、その存在がほとんど知られていない上に、その成因がはっきりわかっていないという点で、まあ、そういう形容詞を使ってもさしつかえあるまいと思っただけのことである。

しかし、それだけに、調査も行き届いていないこの湖沼群をたずねる旅には、ある程度、科学的な知識をたずさえて行く必要があった。私は弘前《ひろさき》を出て、能代《のしろ》へむかうローカル線に乗った瞬間から、眼を窓外の地形にむけていた。

ある未知な風景に接するには、なにも知識をもたずに直接面会する方法も時にはい

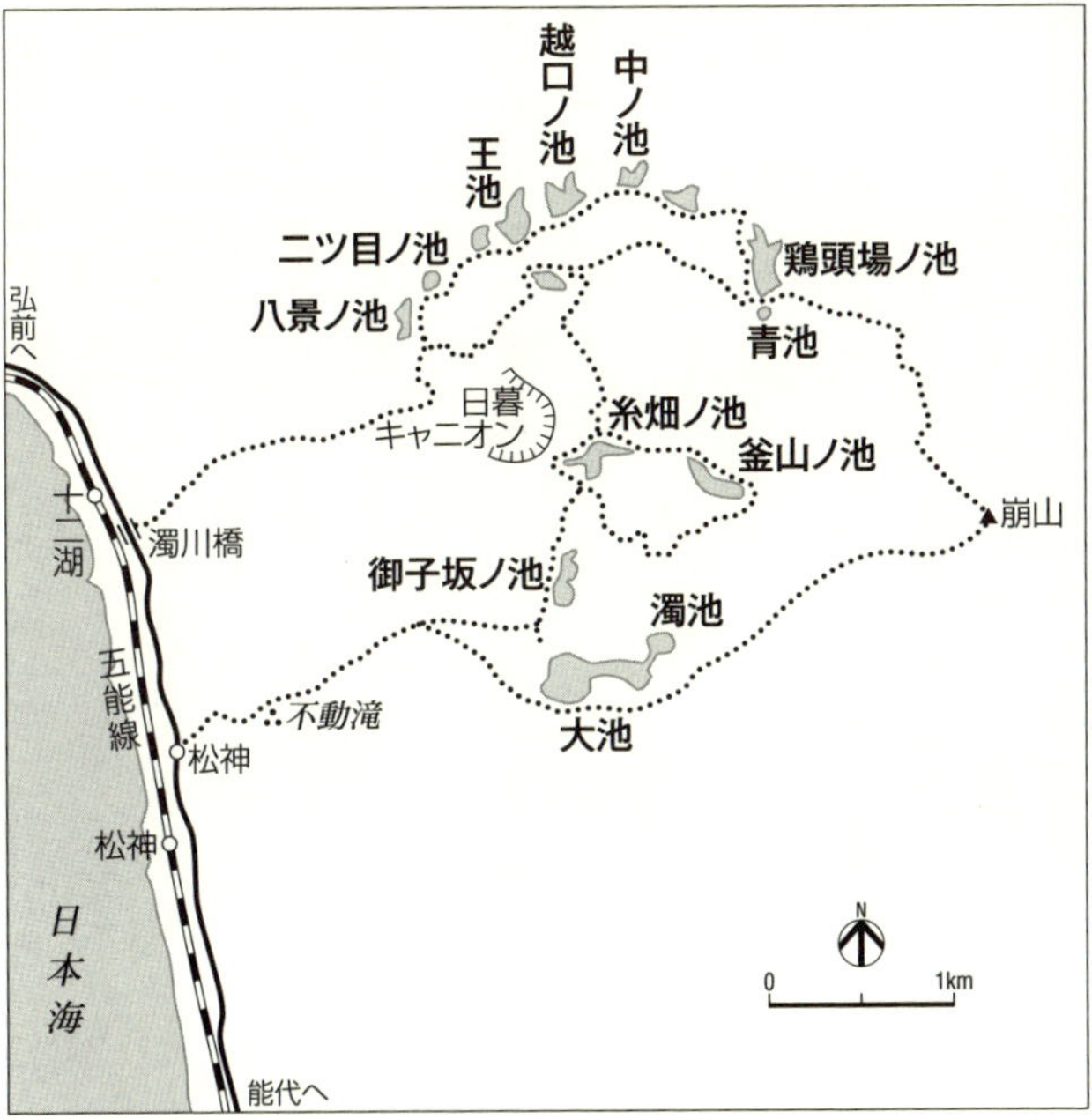

越口ノ池
中ノ池
王池
二ツ目ノ池
鶏頭場ノ池
八景ノ池
青池
弘前へ
日暮キャニオン
糸畑ノ池
釜山ノ池
十二湖
濁川橋
崩山
御子坂ノ池
濁池
五能線
不動滝
松神
大池
松神
N
0
1km
日本海
能代へ

いが、この十二湖の場合にはやはり、そこが本当に「氷河《ひょうが》の遺跡」なのかどうか、それが問題だった。一応、社会地理学を専攻した私だが、この旅ではもっと別の知識も必要だった。これからの旅行家には、「自然」を見る眼にも、「文学」と「科学」の結婚が、ある程度必要なのではないか、とそのときも列車の中で考えていた。

五所川原《ごしょがわら》から能代までのあいだを走るローカル線は五能《ごのう》線と呼ばれ、その左窓に津軽富士と呼ばれる岩木山を見た。そして鰺《あじ》ヶ沢という小さな町は最初の下車駅である必要があった。

十二湖を訪れる前に、地形に関する予備知識をここでもちたい、と思ったのである。

2

鰺ヶ沢は、五能線の車窓から津軽の海がはじめて右手に見えはじめる海岸である。海岸というよりも、ひとつの立派な漁港である。かつては津軽四大港のひとつとして栄えたニシン漁の根拠地である。十二湖は秋田と青森両県の境に近く、そこへ直接ゆくならば当然、能代の方が早そうだという素人判断は間違っていない。十二湖の下車駅までは弘前からゆけば、ざっと四時間もかかるのである。

旅に合理的なスケジュールをのぞむよりも、私はいつも風景とその観察のためにわざわざ迂回することをいとわない。鰺ヶ沢というこのさびれた港町を見る必要があったのも、実は、この港から深浦《ふかうら》と十二湖までのあいだに、日本海でも稀にみる典型的な海岸段丘の地形が、つづいていることを知っていたからだった。この海岸段丘をまず私の眼でよく見、それを見ておかないことには、地質学者さえ、まだ解いていない十二湖の正体について、私なりの判断が下せそうもないと思ったからである。もちろん、私にそんな鑑定力や専門的な判断があると自負してはいない。しかし、旅のたのしさのひとつとして、未知の風景の地形を見て、私なりの興味を示すという行為がいつもある。人間観察には特定の「原理」が適用できないことが多いが、地形の個性には科学的な解釈を与えることができる。そんなたのしみを期待しながら、私は鰺ヶ沢という駅へ降り立ったのだ。

それは津軽半島がこれからはじまろうとする地点といってもよい。五能線はこれから先、深浦までのあいだ、日本海の荒浪を車体の右側にうけて半ば濡れながら走る。鰺ヶ沢を過ぎれば、もう岩木山のやわらかい曲線は見えず、素朴な家々が海にむかって並んでいる。海辺に平野はない。背後には出羽《でわ》山地の最後の北端が海にむかって落ちこんでいる。

その山の姿を見ると、地図で想像したとおり、まさに典型的な海岸段丘である。出羽山地が海に終わろうとするところで、大地は急に切り立って一度に落ちてはいず、四段から五段にもみえる段丘を見せている。それはあたかも、春の節句に飾られる雛壇《ひなだん》のように規則的に平坦面をつくりながら最下段が日本海の水面となっている。大地が完全に積木を重ねたようにリズミカルに傾斜しているのである。

そこでまず頭に思い浮かんだ情景は、太古の時代における日本列島の姿だった。鯵ヶ沢はそんな昔の日のことを考えさせるのにふさわしい古めかしい漁村だった。このあたりは夏でもオホーツク海の低気圧がおおって、小笠原方面からの高気圧がないかぎり「やませ」と呼ばれる北東の風が吹いてひどく肌寒い。以前、津軽では夏でも霧の日に出会った経験をもっている。この地方には「雨年に豊作なし、日照りの夏に不作なし」という言葉がある。

初夏の季節であったが、その日もやはり冷たかった。幸い不思議なくらい大空だけは晴れていた。霧のない津軽路は予期に反したばかりか、北海道まで見えそうな澄明《ちょうめい》さであった。そこで私は町はずれまで行って、コンクリートで固めた防波堤の上にわざわざ立って日本海の色を眺めた。

この津軽の海を見て感じたことは、やがてそこから三時間ほど列車に乗って着いた深浦という港町でも同じであった。深浦は丸い入江を見せて、はっきりとその形が昔は火山の火口であったことを想像させた。日本海からの西北風がいくらつよく吹いても、入口をすぼめた形の入江が天然の避難港の役目を果たし、ここが津軽に数少ない港として、いち早く人間が住みついたことがうなずかれる。かつて、この港から阿倍比羅夫《あべのひらふ》は舟で上陸して、当時津軽にいた原住民たちを征伐したといわれている。古い港町なのだ。一〇五九年代といわれる日本最古の五輪塔がこの港町に残っていることがそれを証明しているという。奉行所もあり、入江をなした良港のほとんどない日本海沿岸では、天与の条件をもった港だったことが私の眼にも充分納得できた。

丸い入江の中に烏帽子《えぼし》の形をした赤い岩がいくつか天に向かって突き出ている。入江の水は少しも濁りをみせていない。ひろい日本海にそのままつづいていることがわかる。入江をかこんで並ぶ青島、富島、弁天島の三つを見ると、明らかにこれは同じ日本海岸の鼠《ねず》ヶ関《せき》や笹川流《ささがわなが》れなどと同質の堅い岩石だ。駅からレールに沿って北へ歩くと、車窓からは見えなかった大小二十ちかい岩があった。青い海面と赤い岩肌が見事な色彩の対照であった。そこでは原色の配合が風景をひときわひき立てていた。それは少なくとも暗い東北の風土では目をひいた。客観的にみて、これが深浦という港町の美しさだと一口にいってもよかった。

風景を見る眼には他の風景との比較が必要だ。郷土に住む人の眼は、しばしば信用できないことが多い。ある風景の優劣をきめるにはやはり、客観的に、他の同類の風景とひきくらべてみる必要がある。日本の地方人は、風景観において井の中の蛙《かわず》である。つまらない風景に対して言葉をきわめてほめたがる地方民に、あちこちで私は出会ってきた。

深浦という港町には率直にいって、それ以上の驚きを感じさせるものはなかった。風景よりも地形のめずらしさが私の心をとらえた。そこから想いは、自然と日本列島の過去へみちびかれて行った。

この広大な日本海という海もかつてはひとつの湖だったのだ。地質学者はすでにそれを証明している。地質学では過去の世界に沖積世《ちゅうせきせい》（完新世《かんしんせい》）と洪積世《こうせきせい》（更新世《こうしんせい》）の二つあったといっている。もちろんそれ以前に新第三紀という時代があり、さらに、石炭が生成されたもっと古い時代もあったが、地球が今から一万年前までは「沖積世」と呼ばれ、さらに一万年から約二五八万年前の期間が「洪積世」だったとされている。この洪積世の時代には日本は現在の南極やグリーンランドと同じ姿で全部氷河におおわれていたというのである。

この氷河の時代、日本海の海面は今よりずっと低かった。樺太とシベリアはつながっていて、朝鮮と日本列島も地続きであった。もちろん、日本列島全体が細長い地続きであり、北海道も本州も九州もすべて結ばれていた。

あるとき、それが分断された。日本列島は五つの島に分かれ、北海道と本州のあいだにも深い溝ができた。それが今の津軽海峡だ。この溝は今の樺太《からふと》と北海道を離している宗谷《そうや》海峡よりも深かった。そのためにシベリアから大地を伝わってやって来ていたナキウサギや樺太産の蝶《ちょう》は北海道までこられたが、本州へは渡れなくなった。日本列島が当時地続きだったということを証明するのが、これらの動物たちだ。今は天然記念物となってしまったナキウサギを調べてみると、現在でも北海道にしかいない。しかし、それがシベリアに棲んでいることを知ってみれば明らかにこの動物は北から歩いてきて、本州へ行こうとする一歩手前で海を渡れなくなったのだ。津軽海峡が動物学上、「ブラキストン線」といわれることは知っている人も多いだろう。

氷河の時代、日本海の海面は今より二〇〇メートルも低かったのだ。それが氷河が溶けるにつれて、海水面が上がり、陸地の面積が浸蝕《しんしょく》され、同時に日本列島の山も隆起した。その証拠がこの私の背後にある海岸段丘の地形だ。この海岸に沿った段丘は、鰺ケ沢からこのあたりまで四〇キロ以上もつづいている。海に一番近い平らな面を五能線が走っている。その一段上はみどりの芝生を敷いたような平面をみせている。そこが草刈場に利用され、中段には集落と棚田がある。

日本海が見下ろせる日和見山に立ったとき、地質学者が言った興味ある海底の話を想い出した。日本海の底には、この段丘のつづきと思われる段丘がさらに秘められているというのである。

田山利三郎氏と矢部長克氏は、日本海の底に、次の五段階の段丘があることを見ぬいている。

1. 海面以下五メートル段丘
2. 一〇~三〇メートル段丘
3. 四〇~一四〇メートル段丘
4. 二〇〇~三五〇メートル段丘
5. 七〇〇メートル段丘

考えてみればうなずける事実である。今でこそ海の底になっているものの、水を除いてみれば、今の陸地続きがそこに現われるのは当然だろう。日本海は私の眼の届かない海の底で五つの階段状となって、七〇〇メートルの深さあたりで相当ひろい平らな地底をかくしているというのだ。

もとは陸地だったところが海の底にかくれたのは、陸の氷河が溶けて海へ流れこみ、その後、陸地も高くなったためなのだ。学者たちはこの事実をスカンディナビア半島の調査で知った。現在のスカンジナビア半島へ行ってみると、そこにはモミの林が地表をおおっているが、過去には今のアラスカやグリーンランドと同じ厚い氷の下にあったのだとわかった。昔の氷河は現在のように高山の頂にはなかった。グリーンランドは、今でも一〇〇〇メートル以上の厚さの氷におおわれていることが証明されている。

こうした内陸氷河が溶けたあとで、陸地の方も何回か隆起したのである。それはかつてパリのセーヌの河畔で調べられている。そこには今でも二つの段丘が残っているというが、高い段丘からはマンモスの化石が発見されたのである。地質学者は、段丘のできた時代を知る手段として「化石」を頼りにする。日本では武蔵野の平野をたんねんに調べて、そこに貝塚があり、段丘が三つ以上あることを証明した。そして氷河時代のある時期には日本海の海面が、今より二〇〇メートルも低かったことを証明したのである。

深浦の港から陸奥岩崎という三つ先の駅まで一直線につなぐ低い峠道を越えてゆく

とき、私は日本海をふりかえりながら、日本列島が今の形をなしたのが洪積期の時代だったことを想って、なにか「悠久」という言葉を改めて嚙みしめた。洪積期といえば、六十万年ちかく昔のことだ。こんな風にして歩いては旅をたのしんでいる自分などは地球の存在からみれば一点にもならない小っぽけな存在だ。しかし、人間にはそれを頭の中で想像する能力が与えられていると思うと、やがて、私の眼の前に現われるにちがいない十二湖という存在が、いっそう魅力的な旅先のように思えてきたのである。

3

十二湖は青森県が秋田県に移ろうとするあたり、海岸からわずかばかり、山を分け入ったところにある。

地形的には深浦からさらにつづく段丘の上にできた凹地である。湖のちらばる位置は海面から見れば三〇〇メートルたらずの高さでしかない。そこに大小とりまぜて三十三の湖があると、村人は言った。だから十二湖という呼び方は正確ではない。三十三湖と呼ぶべきであろうが、この湖沼群の背後にそびえる崩山《くずれやま》の頂から見下ろすとき、

五能線の車窓から望む海岸段丘地形

二十ちかい小さい湖はすべて樹影にかくれてしまい、十二の湖だけがはっきりと、青くひかって見えるということからこの名が生まれたのである。

十二湖の名を聞いて、津軽にあるならば、それは十三《じゅうさん》湖の間違いだろうという質問をよく受けたが、たしかに同じ津軽に十三湖というのがあって、これは津軽半島の一隅《いちぐう》に大きな湖面を見せてどんな簡単な地図にも、はっきりと描かれている。この十二湖の方は中学生が使用している社会科の地図帳などには出ていないほど小さく、また有名でもない。過去にこの湖について書かれた文章も研究もまだ見たことはない。それだけに私が地図の上にこの湖を発見したときには、そこが県立公園であろうなどとは少しも思わず、かくれた不思議な地形を発見した気持ちでひそかに心が躍った。そして、予期どおり、出会う旅行者は一人もいなかった。

十三湖は津軽半島が日本海に終わろうとするところで入江のような形をしていて興味をひかれるほどの存在ではなかったが、この十二湖の方は「段丘」の知識をもち、氷河のあった過去を知ってみればみるほど、なにか秘境といった感じがした。十三湖の方は「トサ」と読むのが正しいといい、アイヌ語で「海辺の近くの大きな湖」という意味だと聞いたとき旅情は半減したし、別の説ではこの湖に十三の川が流れこんでいるところからつけた名だと聞いたときは、なにか霞《かすみ》ヶ浦《うら》を小型にしたような濁った湖面が想像されて夢がもてなかった。それにこの十三湖の方は今や八郎潟《はちろうがた》と同様に、水田化が計画されてどんどん干拓されている。その点では、十二湖の方は五万分の一の地図で見ても、二十を越す小さな湖が点々として山の中にちらばっている風景が想像されて、日本海岸の近いところに、こんな湖の群のあるのが不思議でならなかった。やはり、これは氷河の跡なのだろう。そういえば、海岸の近くに、こんな小さな湖が残っている地形は氷河がおおっていたといわれるノルウェー北部とよく似ている。

「十二湖入口」と書かれ、案内図まで立てられた目的地への分かれ道は、日本海が見える広い街道と直角に交差していた。そこから十五分ほど歩くと、見事な白い山の壁にぶつかった。そこは地元民が「キャニオン」だと自慢する火口壁のような地形美のひとつであったが、よく見れば火山質の岩ではなく、明らかに凝灰岩《ぎょうかいがん》質のやわらかな岩肌で、その上に立てば、脚下で白い土が崩れて、その名をつけた地元民の非科学的な頭脳がおかしくも思われるものであった。

日本ではよく風景の類似したものを見つけては外国の景勝地の名前をつけてよろこぶ癖がある。「何々松島」という名の多島海風景が九州にも、関東にもあるのに出会ったが、それでもよく見れば、松島とは岩質のちがう玄武岩であることが多かった。凝灰岩のつくりだす松島のような風景と山陰の海岸に浮かんでいる玄武岩の風景とはけっして似ていないのに、地元民は実に、よく「松島」的な風景をありがたがる。

しかし、凝灰岩の岩質だから氷河湖の跡でないとはいえない。ノルウェーのようにフィヨルドの入江こそ見当たらないが、地図で見るかぎり、地形は実によく似ているのだ。その湖のある風景は一口にいえば、志賀高原の丸池からはじまるあの高原の入口によく似ていた。湯田中《ゆだなか》からあえぎながら登ってくるバスが志賀高原の入口で出会う丸池、琵琶池のあの風景、それと似ていると感じたときは、どう見てもさして新鮮ではなかった。驚きがなかった。八景ノ池と呼ばれる第一の湖のほとりには茶店さえあった。

ただ、人影のないことだけが志賀高原とはちがっていた。

二ツ目ノ池、それは周囲三四〇メートル、深さ一三メートル、見たところ、志賀高原の木戸池ぐらいの大きさかと思えた。第三の池——王池、それは周囲一五四メートル、深さ二四メートルと書かれた木札があり、周囲に濶葉広葉樹林を充分茂らせて青く沈まっていた。

こうして、湖は五〇〇メートル位の距離をおいて、左手に次から次へと現われた。道は散歩に適するようにひろく湖畔に沿ってつづいていて、ほとんど傾斜はなかった。そして、現われる池は、越口《こしぐち》ノ池、鶏頭場《けとば》ノ池と名が変わってゆき、最後に一段と低く沈んで見事な青い湖面がのぞいたとき、それが十二湖の白眉《はくび》といわれる「青池」だ

日暮（日本）キャニオン

ということはすぐわかった。

青池はインクを流しこんだような色にちかく不気味なほど澄んでいた。湖底に魚の泳ぐ姿がはっきりと見え、樹木が湖面に浮かび、太いブナの幹が何本か黒い影を投げて、その影の部分がことさら湖を深いものに見せていた。ここではじめて私は志賀高原とちがう東北の僻地へ来た旅愁を感じることができた。

ここが日本海岸から歩いて、わずか一時間たらずの山中とは思えない。日本海岸の地形は、山陰から津軽までつぶさに見てきた私だが、こんな海岸近くに小さな湖が無数に残っているのはめずらしい。やはり、氷河が溶けて流れ出るときに、氷が大地の表面をはげしく削った跡だろうか。それならいわゆる「氷河の擦痕《さっこん》」が残っていていいはずだ。

氷河の遺跡——という説明は、この湖の入口に立てられた案内図のなかにもはっきり書かれていた。荒川博士が昭和八年にその説を主張した。しかし、一方では吉村理学士の説として、成因は「火山湖」という一行も書かれていた。

私はしばらくその二つの学説の内容を考えた。「氷河の遺跡」は一時日本のあちこちで唱えられたことがある。一番有名なのは、日本アルプスの入口上高地でヘットナー博士が梓《あずさ》川の岩を見て、氷河の擦痕だと主張したときであった。それ以来、日本アルプスの山々は学者たちによって相当くわしく調べられ、いわゆるカール（圏谷《けんこく》）が氷河のつくった地形のひとつとして、あちこちで実証されはじめた。南アルプスの仙丈岳に登ったとき、私もたしかに頂近くが圏谷であるのを見た。穂高の涸沢もカール状をしていた。最近では日本に氷河はなかったという説も否定されて、地質学者の一部は氷河の遺跡を方々にみとめはじめている。湊正雄氏は北海道を舞台にして、とくに日高山脈を調べ、そこには二度の氷河作用があったことはたしかだといっている。佐々保雄氏は、日本アルプスと日高の山のカールが二段の地形をみせていることを実見した。小林国男氏は日本アルプスのカールが今日二三〇〇メートルから三〇〇〇メートルのあいだの高さにあることから、昔は、二七〇〇メートルあたりに「雪線」があったのではないかといっている。ということは、当時、飛驒、赤石、木曾などの山肌の上部が二〇〇〇メートル位に隆起したときに、偶然気温が低下して、局部に氷河が生まれたことを物語っていた。

だいたい、一口に氷河時代といっても、古い方から数えると①ギュンツ氷期、②ミンデル氷期、③リス氷期、④ヴルム氷期という四つの時代があったということはすでにわかっている。そして日本列島が全部地続きとなっていた時代は第三期であるリス氷期だったとされている。とすれば、まだ高い山が隆起していなかった日本の氷河時代では急傾斜面の山肌からずり落ちて「擦痕」を残したとは思えない。私は改めて、地図をひろげ、この湖のちらばる地形をもっと高い地点から眺めてやろうと思いはじめていた。崩山は青池のほとりから一筋の登山路を頂までつづけていた。そして、私はそこに座って、ゆっくりと眼下の湖沼群を見下ろした。

高さ約一〇〇〇メートルにちかい海の見える展望台のような頂。その山から見下ろしたとき、たしかに三十三個の湖は十二しか見えず、眼下にはカール地形に似た半円型の凹地が展開していることがわかった。これがカールの一種であろうか。その瞬間、ここが氷河の遺跡だとする見方は成り立つと思われた。

すでに北欧の調査でわかっているように氷河が溶けたあとには、こうした凹地ができ、そこに無数の小湖群が残るとすれば、ここはその条件に合致していそうだ。しかし、私はふたたび気がついた。圏谷は、一般に真西に面しているものはないという事実である。例外として真北に面しているカールはあっても、たいていは山の頂の北側から東側にむかってできている、という説を想い出したとき、やはり、この十二湖は氷河の跡ではないのか、という疑問が湧いてきた。

それなら火山湖説を支持するか。地質学者はこの十二湖について、その後なにも発表していない。

しかし、なにか私は一種の謎解きのあとの快感にひたっていた。

氷河の遺跡という説を唱えた荒川博士という人を私は知らない。火山湖説を主張した吉村理学士という人も知らない。二人の学者はこの崩山の頂でどんなことを考えていたのだろうか。

それはひとつの学問の歴史の上では貴重な足跡だったにちがいない。こうして次の時代の学者がそれを足掛かりとして次の推理を試みる。その判定がたとえ間違っていたにしても、そこに学問の進歩があるのだろう。私は私なりに勝手な素人《しろうと》判断をたのしむ。それがいけないと人は言うだろうか。旅人ははるかな未見の地へ足を運び、そこで自分をゆたかにする権利はもっていいはずだ。

私はもう一度十二湖の風景を見下ろした。男鹿《おが》半島の寒風《かんぷう》山が黄金色の日没のなかに灰色のシルエットを見せていた。二十世紀後半の世の中とは思えない静かさが私をとりまいていた。

取材：一九五九（昭和三四）年

木曾御嶽のふもと
——開田高原から三浦貯水池へ——

1

開田《かいだ》高原の名は、かなり前から聞いていた。この地名の起こりはおそらく山深い木曾のなかでも、不思議と水田が昔から開けていたからであろう。「木曾」は「木祖《きそ》」だ。五木《ごぼく》——檜《ひのき》、サワラ、コウヤマキ、ネズコ、そして、アスナロの樹々が育つ針葉樹の森林地帯である。

木曾も福島という中仙道沿いの宿場町はよく知られている。戦前、私も三、四度訪れたが、その当時この町の奥に開田という高原のあることは聞かなかった。この高原の名が私の耳に入ったのは古いことではない。考えてみると、そこを訪れた人が、等しく口を揃えてその印象のよさを語ったからだ。

思うに、年ごとに人間の自然鑑賞の眼は変質してきたといえるのだ。戦前までは、

開田高原の入口、地蔵峠から末川集落へ至る道路

日本三景的風景が絶讃されて、訪れる人も、それを美景と思いこんで疑わなかった。しかし、今はちがう。風景を見る眼も、封建時代頼山陽《らいさんよう》が歩いたころとはちがってきている。日本では渓谷美がしばしば讃えられたが、耶馬渓《やば》ももう古い。東京付近では長瀞《ながとろ》も現代人の眼にはおどろきをあたえなくなった。

人々の視野はひろがり、これらは箱庭的風景だと見抜いた。今や渓谷といえば黒部《くろべ》である。黒部以上のスケールの風景に接しなければ満足しなくなった。

木曾の谷でも、寝覚《ねざめ》ノ床《とこ》がそうだ。ここも古典的渓谷風景になりすぎた。人は中央本線に乗っても、話題にすらしなくなった。「寝覚ノ床」という渓谷美がすっかり旅行者の話題から席をはずしたころ、開田高原の名が語られはじめたといっていい。

人はそこに新しい風景美を見出したのだ。人は人間のまったくない「純粋風景」に対して魅力を感じなくなったのだろうか。渓谷といえば、今は日本全国のあちこちにダムができている時代である。渓谷なら、人造湖がたいていある。それはすべて天然湖より美しくない、と人は思いこみはじめた。木曾に旅する人も、人造湖を期待するのではなく、別の風景を求めはじめたのだ。

開田高原に新たな美しさをみとめた理由は二つあるにちがいない。ひとつは、そこが人間生活をもった高原であること、もうひとつは、そこから木曾のシンボルである

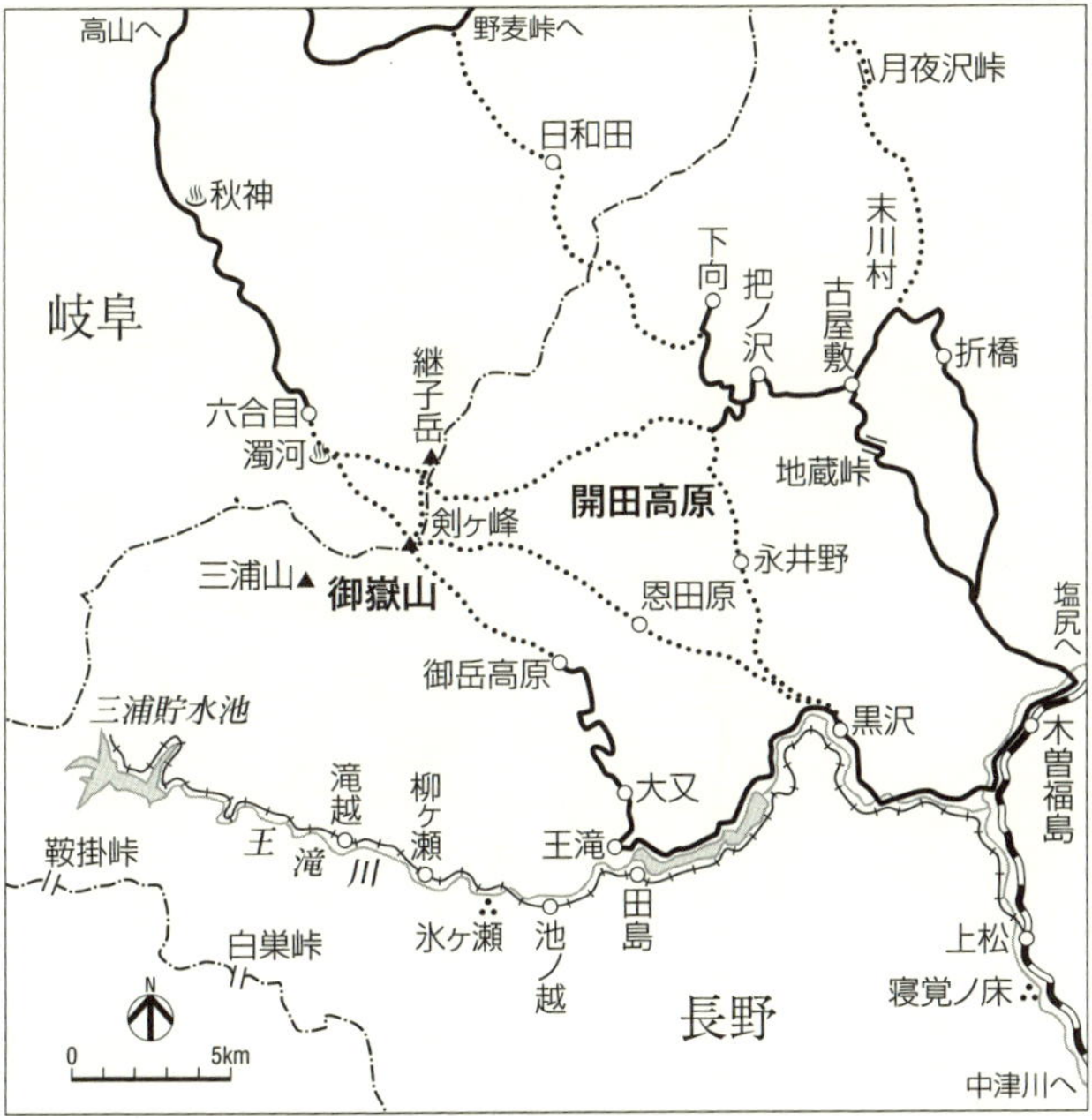
高山へ
野麦峠へ
月夜沢峠
日和田
秋神
末川村
下向
把ノ沢
古屋敷
折橋
岐阜
継子岳
六合目
濁河
地蔵峠
開田高原
剣ヶ峰
永井野
三浦山
御嶽山
恩田原
塩尻へ
御岳高原
三浦貯水池
黒沢
木曽福島
滝越
柳ヶ瀬
大又
王滝
鞍掛峠
王滝川
田島
氷ヶ瀬
池ノ越
上松
白巣峠
寝覚ノ床
長野
N
0
5km
中津川へ

御嶽山《おんたけ》が見事に立ちはだかって視界を圧することだろう。三〇〇〇メートルを越える高山が眼前にあって、しかもその視点が海抜一二〇〇メートルを越えた高地であるという条件をもったところは、日本にいくつあるだろうか。上高地では一五〇〇メートルの視点から三〇〇〇メートルの穂高岳《ほたか》を仰ぐ。これはいうまでもなく見事だ。あとは軽井沢から仰ぐ浅間にしても、小海線から仰ぐ八ヶ岳にしても、少しばかりこの開田のもつ条件には劣る。

上流で二つに分かれる木曾川、その一方の源近くに、この開田の村はある。鳥居峠《とりい》から流れ出す木曾川本流よりも、さらに奥深い二つの支流が、この山村を貫いている。人は藤村《とうそん》の「木曾路は山の中である」という名作『夜明け前』の冒頭の名句に親しみすぎたせいか、こんなところに生活が営まれていることを想像しない。

開田は峠にかこまれた村である。バスが開通したのは今から五年前、初夏ならばそのバスは、木曾五木の香りを車窓に吸いこみながら、海抜一三三五メートルの地蔵峠《じぞう》を越える。

その瞬間、人は「暗」を「明」に変えた視界に眼を見張る。視界一杯に雪を純白にかがやかせた木曾御嶽が左右へ裾野を分けて立ちはだかる。みどりのカーペットをかぶせたような草肌の山が現われて、一般に人が抱いていた木曾の概念をやぶる。しかし、実はこれが間違いなく木曾駒（馬）の生まれた風土なのだ。

山は春秋の二回、夜を徹してその肌を焼かれる。山肌は焼かれることによって草を育てる。その草を馬が喰い、馬は育ち、健やかな二歳駒となる。二歳駒は五万円以上の紙幣に変えられ、山から遠い土地へ売られてゆく。かつては、陸軍の輜《し》重《ちょう》兵《へい》が木曾駒を牽いた。身体は小さいが馬力はあった。

開田はその木曾駒をひそかに育ててきた、かくれた山里である。福島の馬市は名高いが、その馬たちはこの村で生まれ育ってきたのだ。村人は馬を人間より大事にする。ここには、いわゆる木曾五木は育たない。視界あかるくひらけ、木曾御嶽が貧しい山村に、励ましの声をおくるようにそびえている。

峠を越えた瞬間に私の眼をおどろかしたのは、このあかるさだった。そして、あまりにも大きく視界に入る御嶽の姿であった。バスは山腹を何回も廻って、眼下にちらばる平和な村へ下りた。そのあいだ、視界には近景のみどりの山肌と、はるかな白銀色の御嶽が見事な色彩の対照であった。末川と呼ばれる村に入ったとき、路傍の風景は変わったが、のどかさはクライマックスに達した。マーガレット、アヤメ、そして房を垂らした藤の花が、どの農家の周囲にも咲きみだれていた。

ここを桃源郷と呼ぶなら、表現が古すぎる。しかしシラカバだけを残して綺麗に刈りとったような草肌の山にかこまれたこの山上の高原は、高原というよりも、ひとつの盆地であり、盆地というよりも、ひとつの閉鎖された平和な「王国」というのがふさわしかった。

だが、馬は年ごとに商品価値を下げ、軍隊という存在がなくなった今日では、村のほこりではなくなった。そこで村人は観光客の誘致を考えはじめたという。幸いにして米だけは木曾中もっともよくできた。平野に乏しくない地形であることは、把ノ沢《たば》から、西野というバスの終点へゆくまでの車窓から充分に見てとれる。

といえば、すでにひとつの観光地なのかと人は思うであろうが、予期に反して、ここには茶店ひとつなく、旅館もわずか四軒、四つの集落に一軒ずつしかなく、峠にかこまれたこの王国の中央には二つの山が横たわり、それが低地を三つに分けている。末川《すえかわ》、把ノ沢、西野《にしの》と呼ばれる三つの村はそれぞれ一本のバス道路でつながれ、開田高原と呼ばれる特定の地域はない。いってみれば、東西五里、南北二里にわたる開田村全体がひとつの高原であり、六二八戸の家々はすべて海抜一二〇〇メートルを越える高冷地に点在している。

おそらく、この高さに生活を定着させている例は、日本でも稀《まれ》であろう。全国の高冷地をほとんど歩いてみた私の眼でも、千曲《ちくま》川源流の梓山《あずさやま》とこの開田の二つは四季に亘《わた》って生活をつづけ得る最高地だと思われる。木曾川の源にあたり、水がゆたかな故に水田ができたのだ。そのお蔭で、村人は木曾にありがちなコンプレックスをもたずにすんだ。「木曾へ木曾へと落ちゆく米は、伊那や高遠の余り米」と俚謡《りよう》でひやかされた自蔑意識は、幸いにして開田には生まれなかった。

といっても、反《たん》当たりの収穫は、五俵《ひょう》がせいぜい、木曾谷では七俵以上とれるところはまずないにせよ、同じ山国の信州でも、諏訪なら十俵以上、松本付近に較べればやはりここは宿命的な高冷地だ。

ただ、一村で年間二六三二石《こく》の米がとれるという現実だけが、閉鎖的な王国を精神の貧困におちいらせることから救ってきた。村人は今なお素朴で、未知の訪問者に対しても、木曾の山奥らしい好意を示すことを忘れていない。一夜を過ごせば旅館でも民家でも手打ちそばを馳走する気持ちを示し、家の造りを見れば今は馬を牛にきりかえた農家でも、馬の寝室を居間に隣接した南面において優遇してきたことがわかり、冬ならば馬が家人の集ういろりの端へ首を出すのだと聞かされるだろう。

いや、村自体の素朴さが戦前と少しも変わらないことを端的に示すのは、平凡ななかにひそむ純粋な美だ。たとえばバスの窓外で手の届く距離に林立するシラカバの群れを見ても、その幹は純白だ。観光施設ひとつなく、村役場を訪れても、吏員は宣伝パンフレットを差し出さずに、粗末な印刷の「村勢要覧」を一枚とりだしてこう言った。

「最近は都会の方がぼつぼつ来てくださいますよ」

彼等、そこに住む村人は自分の村の美しさに気づかないであろうが、ここは美しい日本の山村の典型である。それは都会人の心を惹《ひ》かずにはおかない。この村の美しさを、最初にみとめたのはおそらく都会人であろう。

西野《にしの》峠という村の展望台を越えて下向《しもむかい》という村へたどり着き、一夜を明かした宿で、京都から来たという中年の旅行者が、ひとり旅の私に話しかけてきた。彼は言った、

「私は開田が好きです。ぜひ晩年はここに住んでみたいと思っとりますのや」

そこに住みたいと願う愛好者をもつ風土に生活する人は幸福だ。自らをさげすむことは少しもない。開田はおそらく御嶽がこの位置で、この高さにそびえるかぎり、少しずつ愛好者をふやしてゆくにちがいない。

2

隔絶した高地集落——開田の村から峠を越さずに、抜け出す道はただひとつしかな

シラカバが門柱の代わりになっていた開田村役場

い。北は月夜沢峠でとざされ、西は長峰峠で飛騨と境し、東には地蔵峠が立ちはだかる。唯一の平坦な脱出口は、いまだに途中までしかバスの通わぬ南側の西野川《にしの》沿いの街道だ。

牧草を育てる明るい山肌を見送って、約三里、恩田原《おんだはら》の開拓地を横切って南下すれば、木曾川の支流・王滝川《おうたき》のほとりに出る。黒沢といえば、御嶽講を信奉する登山者に一夜の宿を提供する山麓の山里。開田高原が牧歌的だとすれば、ここは古めかしい山岳宗教の匂いを発散させている峡谷の集落だ。

その先の王滝、ここへくれば、さらにその匂いは濃厚となる。王滝口、黒沢口といえば、昔から御嶽登山を一年一度の行事とする御嶽講信者が全国から集まって、夏のふた月というもの、山路を白衣に染めてにぎわうところである。

黒沢口から登るのは、関西からの信者、王滝口から登るのは関東一円の信者と伝えられ、御嶽講の登山者は年を追って、若い女性の姿を目立たせている。王滝口の登山路は、一年ごとに便利になり、今年はついに海抜一五〇〇メートルの御嶽高原までバスが登り、わずか三時間で山頂へ着けるのだから、ますます善男善女の数は増すだろう。

アルプスの岩壁に身をぶつけてアルピニズムを謳歌する若者たちは、こうした信仰

開田高原からの木曽御嶽山

登山の山を馬鹿にして登らない。若い人が申し合わせたように選ぶのは開田高原からの新しい登山路だ。このコースは小屋もなく時間はかかるが、若い人は白装束の行者たちと混じり合うことを等しく嫌がる。こういう若い世代の人々は、御嶽講の信者が、夏でも月末になると、急に少なくなる事実を知らないのだ。商売繁昌、無病息災を祈願しにくる御嶽講の信者は商人が多く、月末になると、集金その他で忙しいのだ。

しかし、登ってみてはじめてわかるのは御岳高原付近の牧歌的な山肌が、いかに若人の心を惹きつけるかということだ。日本の山は、この御嶽のように、ほとんど信仰の対象となって、山頂に神社が置かれ、それが開山の糸口となって、以来登山というものが栄えてきた。そんな事実を知ろうとしない若い人々は御嶽の名を聞いただけで、登ろうとはしない。登山ブームの到来で、岩の性格や雪崩の性質を研究する若者は多くても、日本の山と信仰の関係について調べようとする人は少ない。加賀の白山《はくさん》と、大和の大峯山そしてこの御嶽の三つを若い登山マニアは頭から軽蔑する。

開田高原を讃える人は、おそらく、この木曾御嶽のメイン・ルートを古きものとして嫌うだろう。しかし、この王滝の手前にも、戦後の波はすでに訪れていた。牧尾ダムと呼ばれる一里半にわたる細長い峡湖がそれだ。正確には黒瀬という集落から、田島まで、山上から見ればおそらく、蛇体のような青い湖形が、やがて、そこに水を湛え、淀地、神島という名の集落は、地図の上から消えるだろう。もう、その村の人々は生活を高みに移していた。セメント運びのトラックが何台も川底でエンジンをうならせていた。おそらくあと一年経てば、新しい湖の存在をバスの車窓から眺める白装束の登山者たちは、その変わりはてた御嶽のふもとに一種の感慨をもよおすにちがいない。

3

しかし、水没による生活補償が各地のダムで問題を起こした時代は過ぎたようだ。最近話題となった九州蜂ノ巣城、下筌《しもうけ》ダムのような例はめずらしい。ここでは村人たちはダムになるのを待ちかまえていたように補償金の利用を考えた。見ればわかるが、このダムの終わるところ、田島と呼ばれる森林軌道《きどう》の停車場のレールの上には、鄙には稀な湘南電車のような客車が二、三台、小学校の生徒のひけ時を待っている。これが王滝村の考えた賢明な補償金投資の産物である。王滝川上流の分校に通っていた恵まれない小学生たちを本校へ通わせようとして、村が贈った通学用電車である。

今から二年前、このスクール列車は生まれ、滝越《たきこし》という王滝川最奥の集落の生徒たちは僻地《へきち》教育の不遇さから救われたのだ。

木曾五木が濃厚な香りを発散する谷間の林用軌道の上を、オレンジとみどりに塗り分けたしゃれた電車が朝夕の二回往復する。これは全国でも稀な話題だと、山中のほほえましいこのエピソードを伝え聞いた都会のテレビカメラマンや新聞記者が、この一、二年かなり訪れてはカメラを向けた。

しかし、そういうカメラマンも取材記者たちも、王滝からせいぜい滝越まで入るだけで戻った。林用軌道は、木曾が御料林地区となった大正時代から敷かれているが、そのために、川沿いの山路は廃道となり、一日一回通う林用軌道に便乗させてもらわなければ、源流まではたどり着けない。

実は、その源流に三浦《みうれ》貯水池という私を永い間魅惑しつづけてきた秘められた湖があるのだ。戦後十年ちかくたって、この湖の存在を地図上に発見して目を見張ったときの感動は今も忘れていない。それまで建設省発行の地図は、この巨大な湖を表示していなかった。地図に描かれてみると、まったくそれは大きく、東西の長さは、同じ信州でも諏訪湖のそれに匹敵するかとさえ思われ、腕を前に突き出した人間が両足をひらいてふまえた姿勢に似たこの湖は、みどりの山並みの重なるなかに、見事な青さ

三浦貯水池への森林軌道

で鮮かに光っている感じで私の心に焼きついた。それ以来、ぜひこの眼で見たい旅先のひとつであったが、今こうして林用軌道に乗り、一刻一刻近づいてゆく現実を想うと、かなりの興奮状態にあることはかくせなかった。

谷が次第にせばまる。両側の山肌はみどりを濃くしてゆき、池ノ越、大鹿という停車場を過ぎると、左側の谷間は急に対岸の岩と接近し、そこに古い吊橋を見せ、氷《こおり》ヶ瀬と呼ばれる峡谷であることを地図は示した。そして柳《やな》ヶ瀬を過ぎ、滝越という最奥の集落を前方に見せるころ、谷は少しばかりひらけてわずかな水田さえ見せたが、ここがまさに木曾最奥の集落であることを改めて見直した。

昨日、王滝村役場で見せて貰った『信濃名勝詞林』という古書には次の記述があった。

「王滝川の源、其東の岸を中三浦《なかみうれ》といふ。一つの板室《いたむろ》あり、柾《まさき》小屋といふ。里人いふ。昔三浦太夫《みうれたゆう》といふ者ありて開墾してここに居《きょ》す。然《しか》れども寒谷にて住みがたし、因て居を滝越に移す……」

三浦貯水池の名の起こりである三浦の名はこの集落から起こっている。「ミウレ」と読み、すべてが三浦姓を名乗る十六戸の集落。ここは今でも死んだように静かな孤独な村だ。今でこそ他の姓を名乗る村人も住みついて四十戸にふえているが、三浦太夫という先住者の子孫を自負する純粋な土着民たちは、前近代的な伝説を信じて、今でも下流に住もうとはしない。

深夜、懐中電灯を片手に、蜜蜂の巣をねらう熊を探し求めて暗黒の山肌をさまよう村人がいる。熊と格闘して血だるまになった猛者もいる。スクール列車こそ通いはじめたが、老世代は、自分たちが源氏の子孫だと信じて疑わない。羽織の紋が丸に三の字を描いた「みつびき」だという事実から、これが源平盛衰記に登場する和田義盛のそれと同じだと主張し、祖先は朝比奈三郎だといい、この人物はかつて三浦半島を支配していたという。三浦の名はそこから出た。ダムと平家伝説はつきものだが、この山深い谷間の実景を眼にしたとき、そのエピソードはかなりの実感を呼んだ。滝越というこの集落を最後に、もう家はない。あるのは森林軌道の停車場と、材木伐り出しに働く人夫の飯場だけ。

そして、田島の停車場を出てから三時間、都会の遊園地を走るような豆列車の行く手には、ついに巨大なコンクリート壁が立ちはだかった。昭和十二年に造られ、すでにダムとしては稀にみる戦前派だけあって、その灰色の壁はよごれていたが、予期したとおり巨大だった。

御嶽登山口の王滝村から約七里、とても車なしでは一日で戻れる距離ではない。途中には恐怖感をそそる鉄橋がたくさんある。トンネルがある。一ノ瀬付近には絶壁が連続する。一度この軌道に乗った人は二度と乗りたくないと訴えるとも聞いた。

三浦ダムはたしかに遠かった。この先、湖を渡り、最奥の湖岸に上陸して、鞍掛峠《くらかけ》という山路を越せば、飛驒へ出られると気軽に想定した私の計画は、いくらか以上にゆるぎ出した。ダムの直下に発電会社の社宅は見えたが、人影はまったくなかった。

4

しかし、軌道を降りて、ダムの堤の上に立ったとき、私の期待は見事に裏切られた。水は美しくなかった。水量も極度に少なかった。湖をとりまく山肌はその水面が低下した部分だけ、赤茶けてただれていた。人造湖の宿命である水位の低下がここでも見事に露呈していた。地図で想像した青い湖面は夕陽の反射で灰色にさえ見えた。私をひきとめ、そこに永いあいだ立ちどまらせるだけの舞台装置もなく、静寂もなかった。下流の発電所に放流するための水が、絶え間なく巨大な灰色の壁に流れ落ちて、騒音が谷底から湧き上がっていた。

氷ヶ瀬で見かけたケタのない橋

永いあいだのあこがれは、失望に変わった。木曾の五木にかこまれて、戦前派の人造湖らしく、人の口にのぼらないつつましさをそっとほめてやりたい気持ちでやって来たのに、この不粋な姿はどうしたことか。

湖畔を歩く静寂なひとり旅の計画も放棄した。王滝の人もほとんど訪れたことのないというこの湖は、おそらく、それが人の心を惹《ひ》くだけのものをもっていなかったのだ、と考える外なかった。湖畔は干上がり、原生林のふところという旅情には乏しかった。大自然を改造できる者は人間だが、人間はありのままの自然より美しいものを造り出すことはできないことをこの風景は、はっきりと示していた。自然のちからを利用する者は人間でも、自然は手なずけられた瞬間から、本来の姿をうしなうのだ。

それでも、私はもっと奥に別な期待をかけてみたかった。この堰堤上の眺めだけで、三浦貯水池のすべてを評し去るには忍びなかった。北の岸をさらに進んだ。

しかし、現われたものは、営林署の宿泊所でしかなかった。御嶽が眼前に大きくそびえて見えそうな湖畔に立ったが、そこにも視界には灰色の雲がスカイラインまでせまっていた。

仕方なく、かたわらに建つ営林署員の休憩所で渋茶を一杯飲みながら、「失望」を「空想」に変えてたのしむ外なかった。「活きのいい、今朝とったばかりのイワナがありますよ。一晩泊まっていったらいいずら」と親しく誘ってくれる好意をふり切るにはいくらかの躊躇《ちゅうちょ》があったが、この風景では、一夜を明かす気にはなれなかった。

やはり、開田高原の方に、かえって「自然」があった。そこには人間が昔から住んではいても、生活が自然に溶けこんでいたといえはしなかったか。

私はふたたび森林軌道に乗って、次第に風を強めはじめた谷を下った。やがて、風は雨を伴い、沛然《はいぜん》として行く手は白い闇に変わっていった。

初出：『旅』一九六〇（昭和三五）年八月号

長老湖と高冷地

――南蔵王に生きる人々――

1

かねてから、きっとそこには、なにかがある、と地図の上で想いめぐらし、おそらく単に風景が美しいだけではなく、いわば混沌《カオス》の美とでもいうべき風景の底に、まだ誰もさぐっていないなにかがあるにちがいないと考えていたひとつの場所に、最近、ついに行く機会を得た。

そこは、東北地方でも、ほぼ中央部、蔵王《ざおう》山のふもとである。この山の西側はスキー場としてすでにあまりにも有名で、東側には、遠刈田《とおがった》、青根《あおね》、峨々《がが》という温泉場がある。

戦後、仙台の大学に籍を置いていたころ、この山とその周辺一帯は何回かに分けて歩いたところである。実地に風土を見て調べる研究を専攻とした関係から、仙台に近

南蔵王山麓の川原子集落で

いこのあたりは、かくれたみちのくの生活の探訪というかたちで当然歩く必要があったからである。この一帯は、東北地方でも個性がない風土だ、とたいていの人は言った。多くの人は、きまって岩手県の山間部や、奥会津あたりを東北でも未開の地として私にすすめたが、平凡ななかにひそむ特殊性というものは、どこでも発見しようと思えばできたのである。現にこの蔵王の東側にそびえる青麻《あおそ》山という八〇〇メートルの山でさえ、隣にある蔵王火山があまりにも個性的で偉大であったためか、永いあいだ忘れ去られたまま放置され、最近になって、やっと地元の大河原の高校生が精密な実地調査をして、その火山の特異な構造が明るみに出たことを知った。

白石《しろいし》という町がある。福島と仙台のあいだで、眠ったような小さな城下町で、「一万八千石《ごく》」という銘菓が名産ということをみても、その名のとおり、小さな禄高《ろくだか》の伊達藩下の城主が住んでいた町である。大学時代、その街へ二、三度行ったことはあったが、そのころはこの町が蔵王への下車駅であることばかり町の人は強調し、蔵王山の南麓は人家もない原野であるのか、そこが一体どうなっているのか、聞くすべをもたなかった。高くて、冷たすぎる荒れた野がひろがるだけで、そこにはなにも見るべきものはなかろうという口ぶりであった。人間のまったく住んでいない原野では、私の研究対象として失格であった。

刈田岳へ
蔵王山
不忘山
登山路
硯石
弥治郎
長老湖
川原子
鎌先
白石へ
横川
割山
高畠へ
七ヶ宿村
新湯
関
内川
追見
小原
原
N
材木岩
渡瀬
0
5km
塩倉
赤井畑

地図を見れば、そこは、蔵王山が雄大な裾野をひろげ、おそらくこれからも永いあいだ放置されたままに年を経てゆくだろうと思われる高原であった。

しかし、仙台から東京へ生活が移ってからも、なにかあそこを見落としたことが気懸かりで、ふとした折に、戦後はそこにもわずかながら開拓者が入植したと伝え聞いたとき、どうしてもそこにはなにか新しい話題がひそんでいる気がし、ぜひ行ってみたいと思ったのである。これから語る旅は、昭和三十五年秋、ごく最近のことである。

2

十月の半ば、秋の蔵王山は完全にコバルト色の大空の背景から浮かび上がり、ゴブラン織りの絨毯《じゅうたん》をまとったように紅葉していた。これほど晴れわたった蔵王はまだ一度も経験したことがない。過去十五年前の三年間、蔵王山麓を歩いた記憶は何度かあっても、今日ほどの快晴はなかった。雲ひとつないみちのくの空というものは想像できなかった。「さんさ時雨」という仙台生まれの民謡は、空がつねに湿度をもっているることを証明している、と考えてきた私である。俳人芭蕉《ばしょう》が『奥の細道』のなかで、なぜこの巨大で人目をひく蔵王の山のことに一言も触れてはいないのか、という理由を私にいわせれば、時あたかも旧暦の五月上旬、今なら梅雨の最中で、福島郊外の飯《いい》坂《ざか》温泉に泊まった折、芭蕉は雷鳴を戸外に聞いたと書いている。雨が降っていて、山が見えなかったのだ。蔵王が眼前に大きく立ちはだかって見える白石の町に入ったころ、彼は「五月雨に道いとあしく身つかれ」と書いている。一生に一度のみちのくの旅であったろうに、彼は天候を配慮しなかったのか、旅の記録は白石から直ちに「岩沼に宿る」と飛んでいる。

芭蕉がこの雄大な蔵王の姿に接しなかったことは気の毒である。気の毒というよりも、みちのくの旅で蔵王の記述が抜けたことは、それ以後、現代まで蔵王のために惜《お》しむべきである。もし彼が蔵王を眺めることができ、美文をもって書いていたならば、おそらくこの山は、松島よりもずっと早くから有名になり、日本全国から注目されていたかもしれない。

幸いにして、現代には天気予報というものがある。私は天気図という科学的資料を新聞やテレビで見ることができ、この日が快晴にちかいことを事前に知ることができた。芭蕉は気の毒であった。白石からもし蔵王の山姿を仰いだならば、「笠嶋《かさじま》はいづこさ月のぬかり道」などという句はつくらずに済んだにちがいない。現に今の蔵王の頂には、斎藤茂吉《もきち》の「みちのくをふたわけざまに聳《そび》えたまふ蔵王の山の雲の中に立つ」という名歌を刻んだ歌碑があるのだ。この巨大な分水嶺の山を芭蕉が見たら、おそらく、蔵王は現在のように山形県側だけがスキーで宣伝される状態にはならなかったであろう。

だが、それだけに、この宮城県側の蔵王山の南麓には、いま私が歩こうとするような処女の世界——いや二十世紀後半の世、やっとバスが通いはじめたという、不遇で忘れられた土地があるのだ。それが私の目指す、かくれた高冷地である。長老湖《ちょうろう》という湖色《こしょく》の美しい天然の小湖がその奥にある。高原というもよし、原野というもよし、白石から一時間ほどバスに揺られた地点で降り立った私の前には、銀狐の群を見渡すかぎり並べたような尾花の穂が秋の太陽のもとで、目を射るように、輝いていた。それは二十世紀後半の日本では稀《まれ》に見る静かさであり、そこでは秋という季節が、尾花の群を波のように鼓動させ、風が這《は》うごとに音をたてて息づく原始の世界であった。原始——いや、こういう表現には、紀行文家がしばしば用いるこそばゆい誇張がある。原始ではない。あきらかに、そこにはたった今バスが走り去ったという現代的風景の残像が強く焼きつけられ、川原子と呼ばれる、かつては、ふもとの人々が白眼視していた荒地の山村にも、開拓民の家のあることがわかり、そこには、想像したとおり、敗戦日本の縮図ともいうべき生活が展開していたのである。

「川原子」――その名はかつて敗戦直後、私が白石の町で聞いたときのような遠さを感じさせない、牧歌的な山村というべきであった。やがて、三十分も歩いたかと思われるころ、見えはじめた長老の開拓地、ここは、川原子とちがって、本当に戦後になって生まれたことがよくわかる。開拓民がそこに入ったのは、昭和二十五年のことである。樺太から引き揚げてきた開拓民たちに与えられた大地がここだ。そこは一目見てわかる高冷地である。

3

バスの姿が広漠としたススキの原野から消えると、私の周囲には風の音しか残らなかった。背丈ほどもある銀色の穂波が蔵王の山肌まで一面につづいている。実に静かだ。バスは一日に四回しか通らない。私は開拓民と語りたいために、ひとりだけバスから降り、この風景のなかにひそむものを見届けたいと、改めて思った。観光シーズン、旅行シーズンといわれるこの十月の半ば、この秋の凝集した高原には私ひとりしか見当たらない。

この風景をどう表現したらよいか。それは八ヶ岳という信州の山を中央本線の小淵《こぶち》沢《ざわ》あたりから仰ぐときの構図に似ていた。八ヶ岳は海抜二八〇〇メートル以上、小淵沢は九〇〇メートル、その差は二〇〇〇メートルちかい。ここでは、いま視界を圧して立つ蔵王の南端が一七〇〇メートルだとすれば、ここから一〇〇〇メートルの高さの山を仰ぎ見ることになる。山の形もなにか似て、いま見る南蔵王、不忘《ふぼう》山の姿は、一昔前の中央本線の車窓から見る編笠山を想い出させた。地図が示す地形よりも行く手はずっと平坦で、広大であった。

川原子から歩きはじめて、約一時間というもの、いわゆる昔ながらの村落はない。人の住もうとしなかった荒地ならば当然である。あるのは、銀色のススキの海原から、時折、点々と屋根をのぞかせる開拓民家だけで、地図を見ても、横川《よこかわ》という古い集落まで集落はない。最新の地図には川原子に人造湖の表示があったが、それもまだ存在しなかった。これが有名な蔵王という山のふもとの一隅《いちぐう》であるとは信じられない風景である。

感傷におちいることを軽蔑する必要はないが、あまりにもかつて見馴れたはずの蔵王が行く手の大空に、新鮮な色彩とスカイラインを見せて浮かび上がっているので、ひとり歩く身は、ひととき一種の感傷におちいった。風が唯一の音であった。

川原子からゆっくり歩き出せば、開拓民の声はいくらでも聞ける。点々と地平線にうずくまるように屋根を見せる民家へ近づいてゆけばよい。バスの停留場のわきにも、今でき上がったばかりかと思えるロマノフ風な五角形の屋根の開拓農家があった。まるで北海道のようだ、と一瞬感じたが、遠くに見える開拓農家は古びて貧しかった。

突然、行く手の大地が赤茶け、ススキが左右に遠く後退し、トラクターの響きが聞こえはじめた。三十にはみたぬ、おそらく今度の戦争は経験しないと思われる逞《たくま》しい若者がそれを動かしていた。話を聞こうと、立ちどまれば、左手の小学校からばらばらと駆けつけた、ひけ時の小学生たちが見馴れぬ都会者とばかり好奇の眼をむけ、いつもこうした開拓地で感じる気まずい気分に一瞬ひたった。私はそこに住む人々と語るとき、みじかい会話や覚えられる程度の内容ならば、なるべく相手の面前でメモはとらないことにしている。数字や統計も極力頭に入れておく。少し歩き出してから、書きとめる。

聞けば、この一帯は永いあいだ放牧地、採草地であった。日本が敗戦して、人口がふえ、こんな不毛な大地まで探し出されたのは、他の開拓地の場合と同様だ。昭和二十五年に二十四戸が定住、翌年畜力が希望され、二十六年に、粗末な分教場が生まれ、その当時、児童数は十五人、一学級たったひとりの教師が教えたという。それでも、あの荒廃した世相のなかで馬車三台とリヤカー五台が買えたのは無上のよろこびとして、今でも開拓民の記憶につよく残っていると語った。三年目になってやっとランプ生活から縁を切った。その年、弁士つき無声映画の会がひらかれ、村人が感激したと聞けば、ここがいかに文明から隔離されていたかは想像がつく。

今は樺太からの引揚者十三戸をふくめて、やっと二十二戸となり、乳牛も五十九頭にふえ、鶏は二百羽を数えている。この鶏が一年間に三万六千個の卵を生むという。自給作物はヒエが一番多く、次いで蔬菜《そさい》、カボチャ、大麦の順である。

感想として、ここは貧しい。けっして恵まれているとはいえない。今では交通不便な僻地《へきち》とはいえないが、バスが通い、僻地意識から少しずつ脱してきただけに、自分たちの生活と都会人の生活の差がつねに念頭から離れないというつらさがあるようだ。私が都会からやって来て、そこを通り過ぎてゆく人間であることを開拓民は見てとる。この男もおそらく、南蔵王のふもとに最近でき上がったユースホステルと称するモダンなホテルにゆくのだろう、と推測したのだろう。長老湖という今まで忘れ去られていた天然の湖のほとりに若い人々のための宿泊施設ができていることを、おそらくこの開拓民たちは真底からよろこんではいないだろうと私は思った。

長老にあった分教場

ユースホステルとは、外国を旅して、見聞をひろめようとする若い人々のために、国際的な交換が行なわれる渡り鳥旅行運動のことである。「ワンダーフォーゲル運動」から発展して、戦後、ヨーロッパ大陸では平和の到来とともに、盛んになってきた健全な国際的な若者旅行である。もう五十年の歴史がある。日本でもこの数年かなりやって来た外国の若者から、ユースホステルはないか、と聞かれ、まだ敗戦の傷手が完治しないからできていない、とことわるわけにもゆかない気持ちから、運輸省が融資をして、全国の風光明媚な地に着々とつくってきたのが、このユースホステルと呼ばれる建物だ。

ひらたくいえば、それは、青少年のための簡易宿泊所であり、国際的な会員制度が建て前で生まれ、自主的な泊まり方を趣旨として、自炊、セルフサービスが原則とされ、病気でもないかぎり、一泊以上の滞在や安易なエンジョイの仕方はゆるされないことになっている。ユースホステルの建物の中ではコーラスやフォークダンスはゆるされるが、絶対禁酒禁煙で、自転車はよいが、自家用車などで乗りつけることは反則だという。若い世代ならば徒歩旅行が理想とされ、動力をもつ乗物で玄関の前まで乗りつけてはいけない、とされている。

こうした旅行運動が支持され、若人のあいだに普及してきたことはよいことである。

この運動に何の関係ももたない私だが、主旨のとおりのあり方が崩されないかぎり、非難には値しないだろうと思われる。しかし、そんな沿革や発展の経過などを知らない蔵王山麓の開拓民たちにとって、突然、出現したこの立派な山中の宮殿のような建物が、総経費一千百万円もの金をかけて一等地に建ったことは素直に受けとれないのだろう。そこに働く人は、営利を目的とした資本家ではなく、村役場の嘱託であると聞かされても、貧しい開拓民たちにとっては、批判的な気持ちにならざるを得ないのは当然だろう。

ユースホステルは、国際的にも恥ずかしくない建築にしたいという気持ちから、すべて鉄筋コンクリート三階建て、ちょうど都会の公営アパート同様の形で設計されている。今や全国で二十八ヵ所がこの二年間に建てられた。会員制とはいうが、これら運輸省で融資したものは、誰でも身分さえ明かせば泊まることができる。私も開拓民たちが察したとおり、この建物には一泊してみる気持ちはあった。それは、他のユースホステルの場合とちがって、こうした高冷地開拓民の住む地域のなかに建てられたことが、どのような結果と反響を生んでいるかを知りたいからだった。私はユースと呼ばれるほど若くもなく、といって、ホテルよりも簡素なホステルという宿泊所を嫌うほど思い上がってもいない。これまで数ヵ所のユースホステルに泊まってもみたし、実状も調べたことがある。

しかし、ユースホステルというものが、外国人に国際的水準の一夜を提供するのが第一の目的ならば、なにもこんな場所に建てることはなかったとも思える。東北地方はひろく、他にいくらも候補地はあったであろうに、十和田湖畔とこの長老湖畔の二ヵ所であるのは、少し立地条件が誤っていなかったかとも思える。しかし、こういう貧しい日本の現実が隣接している場所に建てたことは別の意味でよかったともいえる。最初、宮城県では松島に建てる案があったが、結局、いろいろ考えた末に、この南蔵王の一隅にきめたと聞いた。

開拓生活民とこのユースホステルを二つながら、色眼鏡を通さずに見、かくれた土地の詩と真実を知りたいと思ったのが、偽《いつわ》らぬ私の気持ちだった。

4

原野のなかのバス停留場の前には、ひとつの杭があった。そこには、

「土を愛せ、汗を惜しむな、乳の流れる蔵王の里」

と書かれた開拓民魂のスローガンが肉太の墨字であざやかに浮かんでいた。その傍の赤肌の大地では、トラクターがうなっていた。これが、かつては白石の人が軽蔑した山中の村の今の姿なのだろうか。

訪れて聞いた開拓農家の家族のひとりは言った。われわれは十か年の補助金をもらって酪農を軌道《きどう》に乗せようと努力している。ほとんどが樺太からの引揚者である。酪農といっても、ここではせいぜい牛を育てて乳を搾ることだ。軽トラクター、小型カッター、草刈機がそれぞれ一台ずつ、八戸だけは堆肥舎がやっと完成した。牡牛が全戸で二十六頭という答えを得たとき、搾った牛乳が馬の背に乗せられてゆくのをこの眼で見た。それが森永牛乳という大資本の手で集められてゆくということもわかった。先日、入植十周年の祝祭を催したと聞いたとき、すでにここの生活が十年目に入っていることも理解できた。いつも開拓地を訪れるときに、私はそこで穫れるジャガイモを見せてもらうことにしている。ここでもジャガイモはかなりいいものができている。

こうした開拓民たちの話を聞くのに必要な「村勢要覧」をこのときも前もって入手していた。ここは、宮城県刈田《かった》郡七ヶ宿《しちかしゅく》村に属し、川原子は白石市に編入されている。七ヶ宿村はいま私が歩きつつある南蔵王一帯、長老湖をふくみ、名のとおり七つの宿場をもつところからつけられた県境の村である。この町の文明度を示す興味深い調査項目のひとつがある。テレビの保有率、全部で二十二台。これは全戸数の二・三パーセント。電気洗濯機の保有率は二十四台で全体の二・六パーセントとある。

開拓民たちの家から一歩ずつ遠ざかり、蔵王の南裾、不忘山が眼前にせまってきたのを感じたとき、私は、七ヶ宿という村の名のもつ詩情と、今さっき別れたばかりの開拓民の顔の二つを同じ枠の中に入れて考え直してみていた。硯石《すずりいし》と呼ばれる分かれ道がほど近いはずだ。長老湖まではあとゆっくりと下って約三十分と推定した。このあたりを急いで歩くのは惜しい。たったひとりの旅人のために、この風景はもったいないほど美しすぎる。雲ひとつない頭上の秋空。不忘山は緑と赤と黄をとりまぜて錦《きん》繍《しゅう》の装いという形容がそのままだ。そして無数の銀狐の背を並べたようなスキの穂がふたたび私をとりまいて、これが秋だ、といわんばかりに大自然のシンフォニーを奏でている。

七ヶ宿村——その名は、かつて、米沢と白石をむすぶ峠越えの街道に沿って生まれた七つの宿場から採られた。米沢藩公はじめ、十三の大小名が奥羽《おうう》山脈を越えて、幕府のある江戸まで参勤交代するのに利用されたのが、この今は忘れられた谷間の道である。その道は、いま私が歩いている小径ではなく、ずっと下の、白石川に沿う二井《にい》宿《じゅく》街道である。古い民家が本陣を残したまま今もある。七つの宿場の名は、湯原《ゆのはら》、峠田《とうげた》、滑津《なめつ》、関、渡瀬《わたらせ》、上戸沢《かみとざわ》、下戸沢《しもとざわ》で、古文献によれば、一日に十駄《だ》以上の物資がそこを通ったという。住民のほとんどはこの輸送による利潤で生きていた。明治三十二年に奥羽本線が板谷峠を越えて開通してからというもの、この谷間は米をつくり、斜面の村では蚕《かいこ》を飼って生き永らえようとした。この二井宿峠にバスが通いはじめたのは昭和三十年である。貧村で宿場のたたずまいだけが古典的価値をもつならば、この村にテレビや電気洗濯機の普及がわずかであることもうなずけることだ。

白石、川原子、硯石、長老湖、横川、関というこの高地廻りコースのバスが運転開始したのが今から二年前だとすれば、この南蔵王高原がいかに文化から隔絶していたかは想像がつくことだ。今、私はそのもっとも奥である硯石の地点まで来た。

そこでは開拓農家も見えず、ただ尾花が風に鳴った。ここで道は二つに分かれ、右へゆけば「蔵王登山路」と記されてあり、分かれ道には硯石と書かれた巨大な標札が立っていた。

「硯石」――その名はなにか物語を想わせる。伝説があるといった感じである。たしかに言い伝えのある岩石がバスの走る道の傍にあった。見れば黒褐色をした二メートル角の長方形の安山岩である。訪れるひととてない叢《くさむら》の中の小石だが、その上部が自然にへこみ、水が湛《たた》えられている。天然の硯のような岩、そこから名が生まれたとみえる。聞けば、源頼義《よりよし》が東国へゆくとき、これを硯にして故郷の妻子に手紙を書いて送ったといういわれがある。四季、不思議とこの硯石の上の水は涸れないところから創作されたものか。硯石のある一帯は、不毛の地にはめずらしくどこでも清水が湧き出るとのことである。

こんなことを教えてくれたのはゆきずりの農夫であった。彼はひとしきり話を聞かせてから、南蔵王登山路の方へ消えた。背には背負子をのせ、今から山へ入る風であった。

ここでふたたびひとり残された私が、開拓民たちからさっき聞いた戦争中の美談を想い起こして、改めてこの登山道の赤土をみつめたのは、その話が他には類のないエピソードだったからだ。

太平洋戦争も終わりちかい、昭和二十年三月九日、本土空襲に拍車をかけていた米軍の飛行機B29の編隊は仙台湾から本州上空に侵入し、そのうち三機がたまたまこの蔵王山上空にさしかかったとき、天候急変で名高いこの山の気象を知らず、突如エア・ポケットに入り、失墜した。当然、三機は山に落ちた。いま眼前に見る不忘山の頂に近い山腹のあたりである。

一機は山形県側の横川の源流近くに、他の二機は頂近いブナの原始林の中へ突っ込

七ヶ宿街道・関集落の古い民家

んだ。平和な山村に起こった事件を見ようと、ふもとの村人たちはすぐ山に分け入った。村人たちは、屍体を手厚く葬った。土葬は避け、正式に棺に入れた。敗戦後、現場確認にやって来た米軍はそれを聞いて感謝した。その返礼のかたちででき上がったのが、この南蔵王登山路である。それまで南蔵王へ登降する道は、ずっと下の鎌先《かまさき》温泉からつけられたものが唯一であった。熊野峠、刈田岳、杉ヶ峰、屛風岳と縦走する道は登山者をよろこばせてきたが、長老湖へ下りる道はなかった。その待望の山道が、こうした機縁でつくられたのである。刈田岳までここから六時間、遠刈田から刈田岳へ登り、縦走してこの長老湖まで下る長い山旅が今では東京から夜行を利用して丸一日で可能となったのはこのB29事件のお蔭である。

彼は私に硯石の先に、貧しい分教場があることを教えてくれた。当然、そこでも、別なエピソードが聞けると期待してよかった。

5

南蔵王の不忘山を三角形に青空からくりぬいて、その前景に五十坪たらずかと思われる小さな小学校がある。赤土を見せた小さな運動場を前にして、入口には「長老分校」と書かれている。後藤亨吉先生に会う。生徒は二十六人、男子十四人、女子十二人、一年生から六年生までをたった二人で教える。

貧しい開拓民の児ばかりで、家事の手伝いのために、欠席者が多いという。六年の男の子は馬車をひとりであやつり、女の子は五〇キロ入りのセメント袋をかるく背負うのだ。

教師は校長三年、教員二年間、絶対に転勤できないようになっている。僻地教育に情熱を燃やして赴任した先生も、夢中で過ごす一年目がすぎると、二年目には無聊と虚脱感にくるしみ、三年目にはただ転勤を祈るという。僻地教育者が姥捨山、左遷の地でなくならないかぎり、黎明は訪れないと、後藤先生はなげいた。

開拓民入植以来、ここに建てられ、すでに十年、粗末な造作の建物は二、三十年も経ったかと思われるほど古びている。カメラを向けると、ここでも小学生が奇異の眼をむける。

たった二十五円の夏休みの宿題帳が買えないと訴える父兄があり、わずか十円の学費を徴収するのにも抵抗があると語った。先生は言わないが、この貧しい分教場のすぐ下、二〇〇メートルの至近距離に立派なユースホステルが建ったことを子供たちが素直に見ていないことは理解できる。

ユースホステルは立派だ。千百万円の経費がかけられている。小学校はいくらで建ったか。まだ十年しか経っていないのに、もう老朽化した分教場と、建ったばかりとはいえ、パステルカラーで塗られたモダンな三階建ての宿舎とを同じ眼で見てはいけない、というわけにはゆくまい。それでも最近は立派な宿屋にテレビを見にゆこうよ、という子供が出てきたことを先生はよろこび、自分たちも厳冬の夜、ひと走りして、この暖房完備な建物に逃避できれば、うれしいと率直に語った。真冬は零下十八度を示し、分教場は雨が降ると、蒲団《ふとん》の上に雨がもるんです、と先生は言った。

小学校を辞して五分、視界が急にひらけると、そこに予期以上美しいユースホステルが現われた。長老湖を示すバス停留所があり、右手の小高い丘の上に、あかるい外装をみせた建物がそれだ。人影はまったくなく、秋十月半ばの旅行シーズンだというのに、若者の姿は見えない。大都会にちかいユースホステルでは、こんなことはない。週末は泊まりきれないほどの若人が集まってくる。ここはまだ人に知られていないためだ。不便な土地のせいもある。

入って聞けば、たしかに、ここはまだ開業してからちょうど三ヵ月ということもあったが、おどろくほど利用者は少ない。その実状を示すデータがある。七月二十六日

長老湖の近くに建ったユースホステル

から九月二十五日までの三ヵ月間に泊まった人は、合計六百八人、七月と九月はわずか四十四人、男女比六・四、収益は十八万八千八百円、一日平均二十人の利用で、一人当たり百五十円しか払っていない。公営のユースホステルは一泊三百五十円以上はとってはいけないことになっている。自炊なら平均百五十円である。それなら、当然、この程度の収益しかあるまい。事務をとっている美しい若い女性は言った。

「分教場の生徒の気持ちも考えて、ここに泊まるお客さんに、子供たちが穫ったキノコや、アケビを売ることを考えたんですよ。それでも相手は学生や若いサラリーマンでしょう。自炊して極力きりつめてたのしもうという趣旨なんですから、一日に、二、三百円も売れればいい方なんです」

ユースホステルに働く人は、管理者をふくめて三人、給料は村役場の嘱託ならば三人で合計二万一千円（九月）しか支払われていないことを公表したデータも見せられた。収支は赤字である。しかし、ユースホステルは遊興的国内旅行のための施設ではない。美しい女性奉仕者は、それでも分教場の小学生に同情した。

ホステルから湖は見えないが、ここは心も身も大自然につつまれたかのような感にひたれる佳境である。湖を見ようとして、少し歩けば、ものの五分もゆかぬうちに、右手眼下に長老湖は青く沈まっていた。予期以上に美しい天然湖だ。一隅にコンクリートで固めた岸があるが、ここも発電に利用しようとしたためであろう。しかし、間違いなく、これは蔵王火山が不忘山・屏風《びょうぶ》岳を噴火させた太古の時代に生まれた天然の湖であることがわかる。山の姿がこれほど絵画的な構図で湖を前景にしてタブローに収まるところは稀だ。山の湖が好きで随分地図を片手に現物を見に全国各地を歩いた私だが、ここは気に入った。

まず、その大きさは周囲せいぜい二キロ、三十分も歩けば終わるだろうと見える。しかし、湖畔を一周する道はない。原生林が湖面に根を洗わせているからだ。南北に細長く、南岸にたたずむと、蔵王山が湖の真正面に立ちはだかる。南の斜面は一面のススキを這わせてゆるやかに湖へ足を入れている。大きさも適当で、山の湖としてはこの程度の大きさが一番旅情がある。東北でも、十和田湖や田沢湖は大きすぎて優美さがない。哀愁がない。猪苗代《いなわしろ》湖にいたっては海の部類だ。裏磐梯《ばんだい》の檜原《ひばら》湖も少し大きすぎる。奥日光の切込《きりこみ》・刈込《かりこみ》湖や赤城《あかぎ》山頂の大沼《おの》、富士五湖でも精進《しょうじ》湖ぐらいの大きさと、素朴さをもった天然湖が好きな私にとって、この長老湖は感動的といえた。

湖畔の樹林にかくれて、一軒の茶店があった。中年の販売人は女で、この下にある横川の集落から毎日登ってきてはボートに乗る若者たちを相手にして営業しているとのことであった。今でこそユースホステルができたが、この湖畔は最近まで誰も住もうとはしなかったところだという。少し上の硯石付近には清水が湧くが、この湖の付近には水がないので、人家が建つ条件がなかった。そのうえ長老湖は人を寄せつけない伝説をもっていたからだと教えてくれた。

「長老」とは、ひとりの和尚の名である。この湖畔にひとりで住むこの和尚は好色の噂高く、たまに婦女子が訪れれば、被害をうけた。あるときこの和尚をこらしめたいと出かけてきた村人たちの姿を見た和尚は突然、眼下の長老湖へ身を投げたという。それ以来、五月の節句のころ、好色の男がゆくと、この湖から和尚の化身した赤ベコ（牛）が現われておびやかすという伝えが生まれたという。

こんな伝えがこの山湖に長く人を寄せつけなかった理由だ、と聞かされたとき、私は、ユースホステルの前に立つ一基の地蔵尊《じぞうそん》と、そのかたわらに立つ供養碑が、この村の生活と無縁でないことを知り、改めて、そこに刻まれた文字を書きとめておく気になった。

私は昭和三十一年九月、東北電力株式会社の依頼を受けて、この湖の改修工事に着手、同年十一月竣工した。ここに飛び込んで悲憤の最後を遂げたと伝えられる長老和尚の供養と、山を愛好する人達の安泰を祈るため、この度、ここに地蔵尊一基を建立した。これがまた縁結びと安産の守り神本尊となることを希望する。さらにこの湖畔、三段町歩余の地に松樹を植えて、訪ね人の楽しい休み場にしたいと思う。

昭和三十二年七月

施主　渋谷栄吉

文字を書きとめて、ふり仰ぐと、ユースホステルを眼前に、不忘山は、変わりゆくこの高冷地の現実と、そこにひとり立つ私の姿を凝視《ぎょうし》するかのように、天空高くそびえていた。さまざまな感慨にひたる高冷地の旅であった。

取材：一九六〇（昭和三五）年

あとがき

「秘境」のイメージは、時代とともに変わってきた。この一冊に書かれた旅は、昭和三十年代の前半で、戦後十年目から五年間にわたって探し出して、訪れた場所である。鉄道もやっと正常化してきた時代だった。

秘境というと、戦前は、深山幽谷を想像する人が多かったが、戦後は、戦争中に行けなかった地域が、新たな秘境としてクローズアップされた。それは太平洋戦争が終わるまで一般の人の立ち入りを禁止し、写真撮影も出来なかった要塞《ようさい》地帯で、秘境のイメージは、山岳地帯や奥地だけでなく、岬や入江が新しい旅先となった。

戦後四年目（一九四九年）から、私は『旅』という雑誌を編集していたので、知られざる旅先を積極的に探して訪れ、「日本の秘境」と題してまとめた。北海道から九州まで、全国的な視野で旅し、その結果、「山、谷、湯、岬、海、湖」という六つの環境から、それぞれ三ヵ所を選んで、当時の状況を語ったものである。

執筆の姿勢は、現地紹介だけでなく、旅する自分の気持ちを重視しているので、当時から念願していた紀行文学の成果として上梓《じょうし》したのが、一九六〇(昭和三五)年であった。

発刊後、「秘境」という言葉が、魅力ある旅先として、使われはじめ、旅の普及にも貢献したか、角川文庫にもなり、これまでに三度世に出たが、このたび、また新たな形での登場となった。

書かれた時から、半世紀以上経ったが、現地の状況が変化しても、その成果を評価された山と溪谷社の勝峰富雄さんには、今後も読み継がれることを念頭に、「定本」という形で、既刊本とはちがう姿で世に出してくださったことに感謝したい。

二〇一四年一月　岡田喜秋

解説　変動の一歩手前

池内 紀

岡田喜秋《きしゅう》『日本の秘境』は旅の仕方を大きく変えた。それまで誰も、ここに語られているようなところへ行こうとせず、行きたいとも思わなかった。わざわざ訪ねるのは、よほどの変わり者。

「どうしてまた、そんなところへ……」

いぶかしがられ、絶句されるか、笑われた。せいぜい、柳田国男門下の民俗学者が泊まりがけで調査に赴《おもむ》くところ。

はじめて本になったのは昭和三五（一九六〇）年だが、取材と執筆はもっと前にさかのぼり、早いものは昭和三〇（一九五五）年となっている。それは実際に書かれた時点であって、あとがきに戦後四年目（一九四九年）から旅の雑誌の編集をしながら、「知られざる旅先」を探していたとあるとおり、着想はさらに前にさかのぼることが見てとれる。

ちょうどその頃のことだが、昭和二五（一九五〇）年、「新日本観光地百選」という催しが実施された。毎日新聞社主催、運輸省、文部省、厚生省、国鉄、GHQの後援による。いまとなっては注釈が必要だが、各省は当時の官庁名、国鉄はごぞんじのJRの前身で、正確には日本国有鉄道、GHQは連合国軍最高司令官総司令部。敗戦国日本はその頃、アメリカ軍を主体とする連合軍占領下にあり、連合国軍最高司令官は日本国首相よりも権力があった。観光促進のイベントにしては、なんとも物々しい。国民的行事として盛り上げる一方、おりしも朝鮮戦争さなかのことであって、政・官・占領軍には、時局から国民の目をそらす狙いがあったのではなかろうか。

もしそうだとしたら、狙いはまんまと的中したといわなくてはならない。国民あげて熱中したからだ。誰もが参加できる。海岸、湖沼、山岳、河川、渓谷、瀑布、温泉、平原、建造物、都邑《とゆう》の十の部門にわたり、一人ハガキ一枚に一つを書いて送る。「国民あげて」は誇張ではない。現に小学三年生だかの私たちは、郷里の城の名前をクラス全員で書いて送った。刻々と中間集計が発表され、そのたびに一喜一憂した。最終の投票総数は、七七五〇万通。赤ん坊と瀕死の人以外はすべて選に加わったことになる。各部門の一位から一〇位まで計一〇〇か所が新しい日本の観光地百選となり、各一位が順次、記念切手になった。ちなみに一位をひろっていくと、海岸＝和歌浦《わかのうら》、山岳＝蔵王《ざおう》山、河川＝宇治川、温泉＝箱根、建造物＝錦帯橋《きんたいきょう》……。

新しい試みであれ、古くからあった「日本八景」類の焼き直しであることはあきらかだ。たいていの日本人が観光とは有名な「景」を訪ねるものであり、それがすなわち旅だと考えていた。

旅行誌『旅』の編集者岡田喜秋は、旧態依然とした日本人の旅行観にあきれ返ったのではあるまいか。「新日本観光地」などとうたいながら、いったいどこが新しいのか。ならば自分が水先案内人になるとしよう。よく知られた名勝ではなく「知られざる旅先」であって、国民あげての投票ではなく、選ぶのは自分ひとり。大々的な十部門ではなく、自分の好きな山、谷、湯、岬、海、湖、この六つの小さなカテゴリーにとどめる。それぞれから三ヵ所。『旅』は、日本交通公社の雑誌であって、およそ時代の観光地と縁遠い紀行文に上司がいい顔をするはずがない。賢明な編集者はじっと力をため、慎重に時を見はからい、昭和三〇（一九五五）年のキリのいい年をスタート台にして、ねばり強く筆をすすめた。そこから日本人の旅の見方を大きく変える本が生まれた。

赤湯から苗場《なえば》山、乳頭《にゅうとう》山から裏岩手。西上州、大杉谷、足摺《あしずり》岬……。自分の旅が甦ってくる人もいるだろう。椎葉村《しいばそん》で食べた焼き餅、佐田《さだ》岬の民宿に出た刺身の大盛り、温泉のはしごの途中に立ち寄った夏油《げとう》。祭礼の日の隠岐《おき》の賑わい。おおかたの人が夢にも「秘境」と思わなかった。

「ちょっと不便なのがいいんだよネー」

旅仲間とそんな感想を語り合った。いまや『日本の秘境』は昔がたりの一つである。だからこそこれは、あらためて開くべき本の一つになったのではあるまいか。一時代の日本の世相があざやかに活写されている。意味深い歴史の微妙な局面が、スナップショットのようにして写し取ってある。ほんの昨日のようで同時に神話のような過去が、原寸大で封じこめられている。いまある世代以上はたしかに立ち会ったにもかかわらず、きれいに忘れていた過去が、まざまざと立ちもどる。忘れているのは忘れたいからであって、無意識のように記憶の外に追いやった。なぜ忘れたいのかという大切なことも、きれいさっぱり忘れていた。

「ダムをつくらせられて一躍立派になったのは村役場の建物と中学校の寮だけである。椎葉の村へ来てはっきりと知らされたのは、文明到来の悲劇であった」

何度となく出てくるだろう。岡田喜秋がひとり現地を訪ねていたころ、日本の山野のいたるところでダム工事がすすんでいた。大工事のための取っ付け工事が山を切り刻み、谷を埋めた。それは「文明」の到来として熱烈に歓迎された。

「日本のあらゆる山の中でダムがつくられ、谷らしい谷間はすべて電源開発の名のもとに水が湛《たた》えられている今日だ」

日本人のおおかたが忘れている——あるいは忘れたふりをしていることが、リアルな現実として語られている。だから何でもない一行が、フシギな謎絵のように見える。「ここはいわゆる、みちのくの湯治場である。戦後は湯治に来た農婦とアメリカの兵隊とが、裸体同様で親しげに話しあっている」

秘境にはしばしば歴史的な「前史」があった。地理よりもむしろ政治がつくり出した秘境であって、それはおそわらないとわからない。『日本の秘境』で紀行文学として優れているのは、さりげなく隠された歴史をかいま見させてくれるからだ。

「さらに私の心を惹《ひ》いたのは、この岬が終戦まで、完全に一人の旅行者さえ近づけなかった要塞《ようさい》地帯だったことである」

愛媛県の佐田岬をはじめとして、日本地図にはあちこちに空白があった。立ち入りはおろか話題にもできない。へたに知ったかぶりして口にするだけで、憲兵にひっぱられる。秘境はまたしばしば日本近・現代史の秘所でもあった。

同じ岬でも足摺岬で旅館に入り、半日ばかり部屋でノンビリしているとどうなるか？　地元の警官がやってきて、「突然自分の部屋が臨検される」ハメに陥りかねない。優れた紀行文学は「臨検」といった公的かつ風俗的史料を含んでいるものである。「雪に耐える必要から、柱も太い。黒びかりした柱が宿の歴史を示すように煤《すす》けている」

これは雪国の古い宿の描写だが、旅宿にかぎらなかった。大半の民家が大小こそあれ、太い柱と重い屋根と暗い部屋でできていた。台所は土間、トイレは外。写真家二川幸夫が日本の民家を撮影してまわったのは、岡田版「秘境」時代とほぼかさなっている。大屋根、土壁、木組み、窓枠。伝統的な様式が暮らしのなかで、維持されてきた。家屋はもとより、集落全体がととのった統一感と調和をおび、そこが古くからの共同体であったことがひと目でわかる。

ただし、日本の民家として美しいと見たのは、聡明な目をもった若い写真家だけであって、おおかたの人はそうではなかった。ただ古いだけ。暗いし、冬は寒いし、個人の部屋がなく、使い勝手が悪い。知られるように、それは「所得倍増」がいわれだした一九六〇年代に入ると、惜しげもなく引き倒され、安っぽい新建材の家に建て替えられた。ずっとあとになってようやく、引き倒し、取り壊したものの価値に気がついた。『日本の秘境』はまた、日本人の精神的秘部にあたるものを、等身大の似顔絵として差し出してくれる。

『日本の秘境』は岡田喜秋、二十代終わりから三十代はじめにかけての仕事である。古い体制がガラリと崩れ、新しい時代へと突きすすんでいく過渡期だった。ことさら奇を狙わず、自分の関心のままに十八の土地を選びとった。朝鮮戦争の特需景気が呼び水になって、日本経済が息をふき返し、サンフランシスコ講和条約の独立後、しだいにテンポを速めながら、経済大国への道をひた走りに走りはじめる。

だが、それは歴史家が好むところの図式であって、人間の暮らしが一つの政令のように変わるわけではない。ここには細部にわたって書きとめてあるが、大きな変動の一歩手前のつかの間の小春日和《びより》だった。

「男も女も等しく老いて、腰の曲がり方が似ていた。まさに日本の農民たちだ」

厳しい労働が、湯治場に見る異形をつくった。ワラぶきの農家のいびつに曲がった柱と似ている。何百年となく同じ風土のなかでつづけられてきた日常性の永遠のたたずまい。いや、はたしてそうか。

「人間はつねに、経済機構と無縁には生きられない。ひとつの風土を見て、その地形、地質、気象を総合して、その土地土地の特殊性を説明する人がいるが、一部地理学者のように、純風土的見方だけで、現今のように複雑化した社会生活を論断することはさけるべきである」

みずから選びとった秘境を辿りながら、紀行作家がつねに自分に語りかけていたことだろう。静まり返った家並み。すべてが静止して無時間のなかに閉ざされたような世界にも、ひそかな変化がはじまっている。農家の庭先で見かけたコンニャクなり、旧街道のトラックに積まれた庭石がささやきかける。集落ごとの出稼ぎの行く先、五時間立ちづめの少女の車掌。変わっても変わっても変わらない原風景を書きとめる一方で、小さな芽をふき、みるまに変容していく植物のような戦後ニッポンの生態をつづっていった。

「佐田岬にはすでにだいぶ前から人口の飽和状態が来ているのである。思うに、ここも日本の縮図であった」

いまの読者は首をかしげ、人口の「飽和」状態ではなく「過疎」状態のまちがいではないかというかもしれない。それがまさしく「日本の縮図」であるのだから……。

現在とめどない過疎にみまわれている町や村や集落を、ためしに時間をさかのぼって検証してみるといい。このニッポン国の異様なほどの変貌、たとえば東京の周縁部にみるすさまじい膨張に気がつくはずだ。その根っこをさぐっていくと岡田喜秋の秘境探訪に往きつく。ここでは現実の断片が、期せずして未知の相貌をおび、奇妙な生命力をおび、迫ってくる。その際の多少とも肩肘張った若々しい語り口がほほえましい。

この旅行者は見えない糸に導かれるようにして行きたいところに行きついた。ちなみにここは、当節の旅モノにおなじみの食べ物のことが、ほとんどといっていいほど出てこないだろう。行きついた先には燃えるような夕陽があり、その残照を背にして、よく歩き、よく見て、たえず道筋をたしかめていた。胃袋のことなど、どうしてかまっていられよう。

（いけうち　おさむ　ドイツ文学者・エッセイスト）

＊本書の内容は、おもに昭和三十年代前半の旅の記録です。現在の一般的な環境や意識とは異なる内容も含まれますが、当時の状況を考慮してそのままにしてあります。また、掲載している地図は、文章内容に即した取材時のもので、現在とは異なります。

＊初出が、東京創元社版『日本の秘境』のための書き下ろし作品は、取材年のみを各編末に記しました。また、雑誌『旅』が初出の作品は、初出の号を記しました。取材は、掲載の二ヵ月程度前です。

＊『日本の秘境』は、一九六〇（昭和三五）年に、東京創元社より箱入り上製本として刊行されました。その後、一九六四（昭和三九）年に「谷」の章を足し、写真を多数加えて、角川文庫として再刊行されました。さらに、一九七六（昭和五一）年にスキージャーナルより、ソフトカバーの新装版「自然と人間シリーズ5」として刊行されました。本書『定本 日本の秘境』は、スキージャーナル版を底本として、改めて、全編にわたり再編集したものです。

おかだ・きしゅう／一九二六（大正一五）年、東京生まれ。作家。旧制松本高校を経て、一九四七（昭和二二）年、東北大学経済学部卒業。日本交通公社に入社し、一九五九（昭和三四）年より十二年間、雑誌『旅』の編集長を務める。雑誌編集者時代から日本各地を取材して、数多くの紀行文を発表。日本交通公社退職後は、横浜商科大学教授として、観光学の構築に努める。著書は、『秘話ある山河』（日本交通公社・平凡社）、『芭蕉の旅路』（秀作社出版）、新刊『旅に生きて八十八年』（河出書房新社）ほか、五十冊を超える。

地図製作＝株式会社千秋社　校閲＝戸羽一郎
カバーデザイン・本文ＤＴＰ＝勝峰 微　編集＝勝峰富雄（山と溪谷社）

定本　日本の秘境

二〇一四年二月一日　初版第一刷発行
二〇二〇年九月十五日　初版第五刷発行

著　者　岡田喜秋
発行人　川崎深雪
発行所　株式会社　山と溪谷社
郵便番号　一〇一－〇〇五一
東京都千代田区神田神保町一丁目一〇五番地
https://www.yamakei.co.jp/

■乱丁・落丁のお問合せ先
山と溪谷社自動応答サービス　電話〇三－六八三七－五〇一八
受付時間／十時～十二時、十三時～十七時三十分（土日、祝日を除く）
■内容に関するお問合せ先
山と溪谷社　電話〇三－六七四四－一九〇〇（代表）
■書店・取次様からのお問合せ先
山と溪谷社受注センター　電話〇三－六七四四－一九一九
ファクス〇三－六七四四－一九二七

本文フォーマットデザイン　岡本一宣デザイン事務所
印刷・製本　大日本印刷株式会社
定価はカバーに表示してあります

Printed in Japan　ISBN978-4-635-04766-1

ヤマケイ文庫の山の本

新編　単独行
新編　風雪のビヴァーク
ミニヤコンカ奇跡の生還
垂直の記憶
残された山靴
梅里雪山　十七人の友を探して
ナンガ・パルバート単独行
わが愛する山々
空飛ぶ山岳救助隊
山と溪谷　田部重治選集
山なんて嫌いだった
タベイさん、頂上だよ
ドキュメント　生還
処女峰アンナプルナ
新田次郎　山の歳時記
ソロ　単独登攀者・山野井泰史
狼は帰らず

単独行者《アラインゲンガー》　新・加藤文太郎伝　上／下
精鋭たちの挽歌
ドキュメント　気象遭難
ドキュメント　滑落遭難
山のパンセ
山の眼玉
山からの絵本
K2に憑かれた男たち
穂高に死す
長野県警レスキュー最前線
ドキュメント　道迷い遭難
深田久弥選集　百名山紀行　上／下
穂高の月
ドキュメント　雪崩遭難
ドキュメント　単独行遭難
生と死のミニャ・コンガ
若き日の山

紀行とエッセーで読む　作家の山旅
ドキュメント　山の突然死
白神山地マタギ伝
山　大島亮吉紀行集
ビヨンド・リスク
黄色いテント
完本　山靴の音
レスキュードッグ・ストーリーズ
闇冥　山岳ミステリ・アンソロジー
山棲みの記憶
安曇野のナチュラリスト　田淵行男
名作で楽しむ　上高地
どくとるマンボウ　青春の山
不屈　山岳小説傑作選
山の朝霧　里の湯煙
新田次郎　続・山の歳時記
植村直己冒険の軌跡